Após o anoitecer

HARUKI MURAKAMI

Após o anoitecer

TRADUÇÃO DO JAPONÊS
Lica Hashimoto

12ª reimpressão

Grafia atualizada segundo o Acordo Ortográfico da Língua Portuguesa de 1990, que entrou em vigor no Brasil em 2009.

Título original
After Dark

Capa
Retina_78

Revisão
Diogo Henriques
Tamara Sender
Lilia Zanetti

A tradutora agradece a Ho Yeh Chia, do Departamento de Letras Orientais da USP, pela transcrição fonética dos diálogos em chinês no terceiro capítulo deste livro.

CIP-Brasil. Catalogação na fonte
Sindicato Nacional dos Editores de Livros, RJ

M944a

Murakami, Haruki
Após o anoitecer / Haruki Murakami ; tradução do japonês Lica Hashimoto. — 1ª ed. — Rio de Janeiro : Objetiva, 2009.

Tradução de: After dark
ISBN 978-85-60281-91-6

1. Romance japonês. I. Hashimoto, Lica. II. Título.

CDD: 895.63
09-2785. CDU: 821.521-3

EDITORA SCHWARCZ S.A.
Praça Floriano, 19, sala 3001 — Cinelândia
20031-050 — Rio de Janeiro — RJ
Telefone: (21) 3993-7510
www.companhiadasletras.com.br
www.blogdacompanhia.com.br
facebook.com/editora.alfaguara
instagram.com/editora_alfaguara
twitter.com/alfaguara_br

Após o anoitecer

1

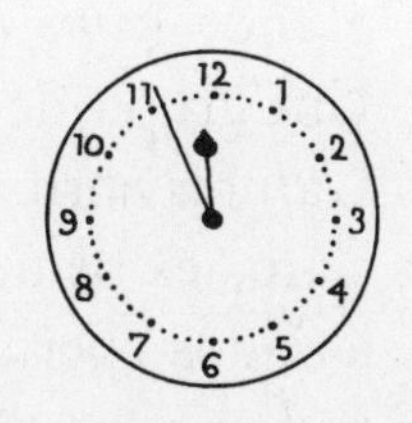

Estamos vendo a imagem da cidade.

Ela é captada pelo olhar de um pássaro notívago a sobrevoar bem alto no céu. A cidade, em perspectiva, é um ser vivo gigante; um aglomerado de vidas que se entrelaçam. Inúmeros vasos sanguíneos estendem-se às mais recônditas extremidades do corpo, circulando o sangue e substituindo células, ininterruptamente. Através deles, novas informações são transmitidas e as antigas, recolhidas; novos desejos de consumo são transmitidos e os antigos, recolhidos; novas contradições são transmitidas e as antigas, recolhidas. Esse corpo, ritmado pela pulsação, emite por toda parte pequenos lampejos de luz, produz calor e se move discretamente. A meia-noite se aproxima e, apesar de o horário de pico já ter passado, o metabolismo basal — para a manutenção da vida — continua, sem sinais de desaceleração. O *gemido* da cidade soa como uma melodia em baixo contínuo. Um gemido monótono e constante que incuba a percepção do porvir.

O nosso olhar escolhe um local com alta concentração de luzes e ajusta o foco. Lenta e silenciosamente descemos nessa direção. Mergulhamos num mar de luzes neon multicoloridas. Um local movimentado, conhecido como uma área de diversão. Edifícios — repletos de gigantescas telas digitais — adentram silenciosamente as fronteiras da meia-noite enquanto os alto-falantes das lojas insistem em tocar, sem nenhuma cerimônia, as batidas extremamente graves do hip-hop. Jovens lotam um grande *game center*: uma mixórdia de sons eletrônicos. Um grupo de universitários parece voltar de uma festa. Garotas entre dez e vinte anos, cabelos tingidos de loiro claro, exibem pernas robustas sob minissaias. Os assalariados apertam o passo no cruzamento com faixas de pedestre em diagonal para não perderem o último trem. Apesar do horário, a chamada para os transeuntes entrarem no karaokê continua animada. Uma perua preta, toda enfeitada, passa bem devagarzinho como se estivesse inspecionando a cidade. Seus vidros estão revestidos de película negra, bem escura. Essa perua nos faz lembrar aqueles seres de pele e órgãos especiais que vivem nas profundezas do mar. Dois jovens policiais fazem a ronda com a preocupação estampada no rosto, mas a maioria nem se dá conta deles. Nesse horário, a cidade tem seus próprios princípios. Estamos no final do outono. Apesar de não ventar, o ar está frio. Daqui a pouco, será outro dia.

Estamos no Denny's.

Nada tem de muito especial, mas a iluminação é adequada; a decoração e as louças são neutras; o projeto do piso foi minuciosamente planejado e padronizado por especialistas de engenharia; a música ambiente é discreta e o volume é baixo; e os funcionários são treinados para atender os clientes corretamente, conforme o manual: "Bem-vindos ao Denny's!" Aqui dentro, todas as coisas são de anônimos e podem ser substituídas. A casa está quase lotada.

Após observarmos todo o interior do estabelecimento, nossos olhos fixam-se numa garota sentada ao lado da janela. Por que ela? Por que não outra pessoa? Não saberíamos responder. Mas o fato é que essa garota — não se sabe por quê — atraiu o nosso olhar, de um modo extremamente espontâneo. Ela está sentada numa mesa para quatro e lê um livro. Veste agasalho cinza com capuz, calça jeans azul e tênis amarelo desbotado, de tanto ser lavado. Uma jaqueta esportiva envolve o encosto da cadeira ao lado. A jaqueta também não é nova. A garota tem a idade de quem acabou de ingressar na faculdade, mas algo nela ainda preserva o ar de uma colegial. Seus cabelos são pretos, curtos, lisos e de corte reto. Usa pouquíssima maquiagem e nada de acessórios. O rosto é fino e pequeno. Usa óculos de aro preto. De vez em quando, entre as sobrancelhas formam-se algumas rugas de expressão que lhe conferem seriedade.

Ela está tão compenetrada lendo o livro que praticamente não tira os olhos dele. É um livro volumoso de capa dura, mas como está encapado com essas sobrecapas oferecidas pelas livrarias, não há como saber seu título. A seriedade com que lê nos faz supor que se trata de um assunto denso. Ela parece ser o tipo de leitor que procura saborear intensamente cada linha, uma a uma, sem jamais ousar pular algum trecho.

Sobre a mesa temos uma xícara grande de café, um cinzeiro e, ao lado, um boné de beisebol azul-marinho com a logomarca B, do Boston Red Sox. Pelo tamanho de sua cabeça, o boné lhe deve ser um pouco largo. Na cadeira ao lado há uma bolsa a tiracolo de couro marrom c, pelo formato de seu volume, podemos imaginar que nela foram colocadas diversas coisas — tudo de qualquer jeito, tudo bem rápido — conforme eram lembradas. De vez em quando, ela pega a xícara de café e a leva à boca, mas não parece apreciar o que bebe. Digamos que ela apenas toma o café porque a xícara, por um acaso, está lá e isso a faz sentir-se no papel de bebê-lo. Ela também se lembra do cigarro, leva-o à boca e o acende com um isqueiro de plástico. Comprime um pouco os olhos e, despreocupadamente, solta a fumaça no ar. Depois, apoia o cigarro no cinzeiro e, para aliviar aquela sensação de uma possível dor de cabeça que se aproxima, massageia as têmporas com as pontas dos dedos.

A música de fundo é *Go away little girl*, de Percy Faith e sua Orquestra. É claro que ninguém está ouvindo isso. Gente de tudo quanto é tipo faz refeições e toma café na madrugada do Denny's, mas ela é a única mulher desacompanhada. Às vezes, a garota levanta o rosto e olha para o relógio de pulso. No entanto, parece que a hora custa-lhe a passar. Não nos parece esperar alguém. Afinal, ela não fica nem olhando ao redor, nem sequer a entrada. Apenas está sozinha e aguarda ansiosamente o tempo passar — enquanto lê um livro, acende um cigarro e, mecanicamente, pega da xícara e toma pequenos goles de café —, mas o fato é que, até o dia amanhecer, ainda falta muito, muito tempo.

Ela interrompe a leitura e volta-se para a janela, que, do segundo andar, permite observar o movimento lá embaixo. Apesar do horário, as ruas ainda estão bem iluminadas e é grande o número de pessoas que vêm e vão. Pessoas que têm para onde ir e as que não têm. Pessoas que têm objetivos e as que não têm. Pessoas que tentam parar o tempo e as que querem acelerá-lo. Ela observa por algum tempo essa cidade sem nexo e procura concentrar-se em respirar com serenidade, para depois voltar novamente às páginas do livro. Estende o braço para alcançar a xícara de café. O cigarro, após algumas poucas tragadas, está apoiado no cinzeiro e gradativamente, mantendo o seu formato, vai se transformando em cinzas.

A porta automática da entrada se abre e entra um rapaz franzino e alto. Ele veste um casaco de couro preto, bermuda verde-oliva toda amarrotada e botina marrom. Seus cabelos são compridos e alguns fios estão embaraçados. Poderíamos até arriscar dizer que, por algum motivo, ultimamente ele não pôde lavar os cabelos. Mas quem sabe? Ele pode ter acabado de sair de algum matagal bem fechado! Ou... Pode ser que para ele seja normal e confortável ter o cabelo desgrenhado. Ele é magro, mas a impressão que nos dá é a de ser desnutrido, e não esbelto. O rapaz carrega nos ombros um estojo de instrumento musical preto e grande: um instrumento de sopro. Também traz uma sacola de tecido, por sinal suja. Dentro dela, partituras estariam amarfanhadas junto a outras coisas. Na têmpora direita, ele tem uma cicatriz de corte profundo que chama a nossa atenção. Essa pequena cicatriz deve ter sido provocada por algum objeto pontiagudo. Se não fosse isso, nada mais chamaria a nossa atenção. É um rapaz comum, seu jeito parece o de um vira-lata perdido, de temperamento bom, mas não muito prestativo.

A recepcionista se aproxima dele e o conduz à mesa dos fundos. Ele passa ao lado da garota que está lendo e, um pouco à frente, lembra-se de algo, para e, como a rebobinar um filme, volta lentamente alguns passos e fica de pé, ao lado da mesa da garota. O rapaz pende a cabeça para o lado e a olha detidamente. Seu cérebro parece estar resgatando uma lembrança. Recordar é algo que leva tempo, e ele é do tipo que gasta muito tempo em tudo que faz.

A garota percebe sua presença, desvia a atenção do livro e, comprimindo um pouco os olhos, fixa-os no jovem que está em pé. Ele é alto e a faz ter de levantar o rosto. Os olhares se encontram. O rapaz abre um sorriso. Um sorriso de quem não tem más intenções.

O rapaz fala com ela:

— Me desculpe se eu estiver enganado, mas por acaso você não é a irmã caçula da Eri Asai?

Ela não responde. Mantém-se calada e continua a fitá-lo como se estivesse vendo um arbusto no cantinho do jardim que cresceu exageradamente e desengonçado.

— Acho que nós já nos vimos antes... — ele insiste. — Se não me engano você é... Yuri! Uma sílaba diferente do nome de sua irmã.

A garota continua a olhá-lo atentamente e corrige a informação de modo sucinto e direto:

— Mari.

O rapaz aponta o dedo indicador no ar e se corrige:

— Ah, é mesmo! É Mari. Isso mesmo: Eri e Mari. Uma sílaba diferente. Você certamente não se lembra de mim, não é?

Mari pende levemente a cabeça para o lado. Seria um sim? Um não?... Não saberemos. Ela tira os óculos e os coloca ao lado da xícara de café.

A garçonete retorna e pergunta:

— Estão juntos?

— Ahã, estamos — responde o rapaz.

A garçonete deixa o cardápio sobre a mesa. Ele se senta de frente a Mari e coloca o estojo de instrumento no banco ao lado. Depois, como se lembrasse algo, pergunta:

— Posso me sentar aqui, rapidinho? Vou embora assim que comer. Tenho um compromisso noutro lugar.

Mari franze um pouco a testa.

— Não acha que essa pergunta deveria vir antes de sentar?

O rapaz procura entender o significado desse comentário e arrisca perguntar:

— Está esperando alguém?

— Não é isso! — responde Mari.

— Ah! Então é uma questão de etiqueta.

— É.

O rapaz concorda.

— É mesmo, você tem razão. O certo seria perguntar primeiro se posso ou não me sentar. Mas, sabe como é, né? Aqui está cheio e também não vou te incomodar por muito tempo. E então... Posso?

Mari balança discretamente os ombros para cima e para baixo, como quem diz "Você é quem sabe!". O rapaz abre o cardápio e passa a olhá-lo atentamente.

— Já comeu?

— Não estou com fome.

Ele olha todo o cardápio, fecha-o e o coloca novamente sobre a mesa.

— Na verdade eu nem precisava ver o cardápio. Apenas finjo que estou vendo.

Mari não diz nada.

— Aqui eu só como salada de frango. Já está decidido. Pra mim, a única coisa que realmente vale a pena comer no Denny's é a salada de frango. E olha que eu já experimentei outros itens do cardápio, hein? Você já experimentou a salada de frango daqui?

Mari movimenta a cabeça, em sinal de "não".

— Não é ruim, não. Salada de frango e torrada bem crocante. Aqui no Denny's, eu só como isso.

— Se só come isso, então pra que ficar vendo o cardápio?

Ele estica os pés de galinha de um dos olhos com os dedos.

— Vamos, pense comigo. Você entra no Denny's e, sem ao menos ver o cardápio, vai pedindo uma salada de frango, não acha isso muito triste? Eu estaria assumindo ser um frequentador do Denny's só por causa da salada de frango, não é? É por isso que faço questão de abrir o cardápio, faço de conta que estou escolhendo algo e finjo que decidi comer a salada de frango.

Quando a garçonete lhe traz a água, ele pede salada de frango e torradas bem crocantes. Enfatiza:

— Bem "*crocante*!", um pouquinho antes de elas se queimarem e ficarem pretas.

Ele pede também uma xícara de café para o final da refeição. A garçonete insere o pedido na maquininha portátil e, para conferir, repete-o novamente.

— E... Pra ela, mais café, não é mesmo? — diz o rapaz apontando a xícara de Mari.

— Perfeitamente. Já vou providenciar o café. Um momento, por favor.

O rapaz observa a garçonete se distanciar.

— Você não gosta de frango? — ele pergunta.

— Não é isso... — responde Mari. — É que procuro evitar comer frango fora de casa.

— Por quê?

— É que os frangos utilizados em redes de restaurante costumam ser alimentados com remédios e sabe-se lá o que mais. Coisas do tipo acelerador de crescimento. As aves ficam presas numa jaula apertada e escura, injetam várias drogas nelas e as rações contêm produtos químicos. Depois são colocadas numa esteira rolante que corta um a um seus pescoços e, na sequência, outra máquina vai depenando elas.

— Nossa! — admira-se o rapaz. Depois, ele ri. Quando sorri, seus pés de galinha ficam bem marcados. — Salada de frango à la George Orwell.

Mari olha para o rapaz comprimindo os olhos, meio desconfiada. Ela não tem certeza se ele está ou não caçoando dela.

— Bem, seja lá como for, acredite! A salada de frango daqui não é ruim não, pode crer!

Após dizer isso, de súbito, lembra-se de tirar, dobrar e colocar o casaco de couro na cadeira ao lado. Em seguida, com os braços sobre a mesa, esfrega as palmas das mãos. Embaixo do casaco ele veste um suéter de gola alta verde de pontos largos. Alguns fios de lã, aqui e ali, estão soltos, assim como seus cabelos estão desalinhados. Ele parece ser do tipo que não se importa muito com a aparência.

— Nós nos conhecemos na piscina de um hotel lá de Shinagawa, no verão do ano retrasado. Você se lembra?

— Acho que sim.

— Estavam lá meu amigo, a sua irmã, você e, a propósito, eu. Ao todo éramos quatro. Tínhamos acabado de ingressar na faculdade e você, se não me engano, estava no segundo ano do ensino médio, não é?

Mari concorda sem demonstrar muito interesse.

— Naquela época, meu amigo "ficava" com a sua irmã e como ele queria fazer um encontro de casais, me convidou. Nem sei como ele conseguiu arranjar quatro convites para conhecer a piscina. E sua irmã te levou. Mas eu me lembro que você quase não abriu a boca, ficou só na piscina nadando como um filhote de golfinho. Depois, fomos ao salão de chá do hotel e tomamos sorvete. Você pediu *pêche melba*.

Mari franze as sobrancelhas em desagrado.

— Pra que ficar lembrando esses detalhes?

— Pra começar, porque eu nunca tinha saído antes com uma garota que comia *pêche melba* e, é claro, porque você era uma gracinha!

Ela o olha com um rosto inexpressivo.

— Seu mentiroso! Você não era o tal que não desgrudava os olhos de minha irmã?

— Eeeeu?... É?...

O silêncio de Mari é uma afirmativa.

— É, você tem razão... — admite o rapaz. — Afinal, não sei por que ainda me lembro muito bem do minúsculo biquíni dela.

Mari pega um cigarro, leva-o à boca e o acende com o isqueiro.

— Sabe... — ele diz — não é que eu esteja defendendo o Denny's, mas *por mais questionável que seja* comer a salada de frango daqui, você não acha que fumar um maço de cigarros é muito mais prejudicial à saúde?

Ela ignora o comentário.

— Naquele dia, era para ir uma outra garota, mas na última hora ela passou mal e eu é que fui forçada a ir no lugar dela. Foi só para equilibrar os pares.

— Ah! É por isso que você estava mal-humorada.

— Mas eu me lembro de você.

— Verdade?

Mari aponta o dedo para o lado direito do rosto dele.

O rapaz põe a mão sobre sua profunda cicatriz na têmpora direita e explica:

— Ah! Isso aqui? Quando eu era criança estava correndo de bicicleta numa ladeira e não consegui dobrar a esquina. Se o machucado fosse uns dois centímetros para o lado, eu teria perdido a visão do olho direito. O lóbulo de minha orelha direita também ficou deformado, você quer ver?

Mari faz uma careta e balançando a cabeça recusa-se a ver.

A garçonete traz a salada de frango, as torradas e as coloca sobre a mesa. Ela serve mais café na xícara de Mari e confere se todos os itens foram trazidos. O rapaz pega o garfo e a faca e começa a comer a salada mostrando estar familiarizado com o prato. Depois pega uma torrada e a observa detidamente. Seu olhar é de reprovação.

— Por mais que eu insista que façam uma torrada bem *crocante*, nunca me serviram uma do jeito que eu quero. Não consigo entender! Não deve ser tão difícil fazer uma torrada bem crocante se considerarmos que, por trás dos princípios mercadológicos que norteiam cadeias de lojas como a do Denny's, há o trabalho diligente dos japoneses e sua cultura altamente tecnológica, não é mesmo? Com toda essa estrutura, por que será que eles não conseguem fazer isso? Que valor tem uma civilização incapaz de fazer uma torrada conforme o pedido?

Mari demonstra não estar nem aí com isso.

— Mas sua irmã era realmente muito bonita! — monologa o rapaz.

Ela olha para ele e indaga:

— Por que diz isso no passado?

— Por quê? Ué! Digo no passado porque estou contando uma história que já aconteceu! Isso não significa que hoje ela não seja bonita.

— Dizem que ela ainda continua bonita.

— Que bom! Mas, pra falar a verdade, eu não conheço muito bem a Eri Asai. Estudamos juntos durante um ano no segundo grau, mas naquela época a gente quase não se falava. Ou melhor, ela nunca me deu chance de falar com ela.

— Mas interesse você ainda tem, não é?

O rapaz segura a faca e o garfo no ar e, antes de responder, pensa por uns instantes:

— Não sei se é interesse... Acho que é mais um tipo de curiosidade intelectual.

— Curiosidade intelectual?

— Digamos que tenho curiosidade em saber o que eu sentiria se saísse com uma beldade como a Eri Asai, sabe como é, né? Coisas desse tipo. Afinal, ela parece aquelas modelos de revista!

— Isso seria a tal... Curiosidade *intelectual*?

— Não deixa de ser um tipo de...

— Mas, pelo visto, naquele dia era seu amigo quem estava com a Eri. Você estava apenas o acompanhando, não é mesmo?

Com a boca cheia, ele concorda e, sem demonstrar nenhuma pressa, mastiga bem a comida, saboreando-a.

— Digamos que sou um cara reservado. Não me dou bem com holofotes. Sou que nem aperitivo: uma saladinha de repolho cortado bem fininho misturado à maionese, uma porção de batata frita ou uma porção de presunto cortado em cubinhos.

— Deve ser por isso que te empurraram para ficar comigo.

— Não sei se é por isso. Só sei que você era muito bonitinha, sabia?

— Escuta aqui. Por um acaso, isso de ficar dizendo as coisas no passado é um tipo de mania, é?

O rapaz sorri.

— Claro que não! Apenas estou comentando de forma direta, a partir do presente, minha opinião daquela época. Você era uma gracinha! Verdade. Pena que você nem quis saber de conversa.

Ele apoia o garfo e a faca no prato e toma água. Limpa a boca com o guardanapo de papel.

— E então... Sabia que enquanto você nadava, perguntei a Eri Asai o porquê de você não conversar comigo? Queria saber se isso tinha a ver comigo.

— E o que ela te respondeu?

— Ela disse que você era assim mesmo, que não era de ficar puxando papo. E que era... Digamos... Meio esquisita; pois, apesar de ser japonesa, passava mais tempo falando chinês do que propriamente o japonês. E que, por essas e outras, eu não devia ligar para o seu jeito. Foi o que ela me aconselhou. Ah! E disse, também, que não via nada de errado comigo.

Mari só escuta e, sem fazer nenhum comentário, pressiona a ponta do cigarro no cinzeiro para apagá-lo.

— O problema não era comigo, era?

Antes de responder, Mari faz um breve suspense:

— Não me lembro muito bem, mas... Acho que o problema não era você.

— Ufa, que bom! Confesso que fiquei preocupado... É claro que eu tenho alguns problemas, mas sabe como é, né? São daqueles que estão aqui... Dentro da gente! Tão íntimos que, se fossem assim tão facilmente desvendados por alguém, eu ficaria em apuros. Imagina só se isso acontecesse na beira de uma piscina em plenas férias de verão. Já pensou?

Mari olha novamente para o rapaz e o tranquiliza:

— Não percebi nenhum problema, basicamente, tão íntimo assim.

— Que alívio!

— Não consigo lembrar seu nome... — comenta Mari.

— Meu nome?

— É.

— Não se dê ao trabalho de lembrar. É um nome totalmente sem graça. Às vezes, até eu mesmo quero esquecê-lo. Mas esquecer o próprio nome não é tão fácil assim, sabia? É diferente, por exemplo, do que vira e mexe acontece quando o nome é de uma outra pessoa. Não é que, nesses casos, a gente acaba esquecendo o nome de quem jamais devíamos esquecer?

O rapaz furtivamente desvia o olhar para a janela como a resgatar algo injustamente perdido e, depois, volta a fixá-lo cm Mari.

— Tem uma coisa que, naquela época, me deixou intrigado. Por que sua irmã não entrou nenhuma vez na água? Era um dia quente e, afinal de contas, era uma senhora piscina!

A expressão de Mari é de indignação, de quem fala: "Não me diga que *você não percebeu nem mesmo isso?*"

— É porque ela não queria estragar a maquiagem! Não é óbvio demais? Além do quê, você não acha que ela conseguiria de fato nadar com aquele biquíni, não é?

— Então era isso? — comenta o rapaz. — Apesar de irmãs, vejo que cada uma tem um jeito bem diferente de viver!

— É porque nossas vidas são diferentes.

A resposta de Mari deixa o rapaz introspectivo. Depois de um tempo, ele retoma a conversa:

— Por que será que todos nós trilhamos caminhos diferentes? Veja o caso de vocês... Nasceram dos mesmos pais, cresceram na mesma casa e as duas são meninas. E, apesar de terem tanto em comum, por que será que se tornaram pessoas tão diferentes? Onde foi que se deu essa tal bifurcação? Uma delas veste um microbiquíni que cabe na palma da mão e esbanja sensualidade ao lado da piscina, enquanto a outra veste um maiô de escola de natação e fica nadando de um lado a outro da piscina como se fosse um golfinho...

Mari olha para o rapaz e questiona:

— Por um acaso, você não está achando que eu vá te responder isso, aqui e agora, em alguns poucos segundos, enquanto você está aí comendo essa salada de frango, não é?

O rapaz balança a cabeça discordando, e se justifica:

— Não, não é nada disso! É apenas uma curiosidade que passou pela minha cabeça e que me fez pensar alto. Você não precisa responder. Foi, digamos assim... Um autoquestionamento.

Ele faz que vai comer a salada de frango, mas muda de ideia e continua a conversa:

— É que eu não tenho irmãos. Acho que é por isso que sinto uma sincera curiosidade em saber até que ponto os irmãos são parecidos e a partir de que ponto eles se tornam diferentes.

Mari continua a guardar silêncio. O rapaz segura a faca e o garfo nas mãos e, pensativo, observa o espaço vazio sobre a mesa. E, em seguida, retoma a palavra:

— Certa vez, eu li uma história sobre três irmãos que foram parar numa certa ilha lá do Havaí. É uma mitologia, ok? Daquelas bem antigas. Eu ainda era criança quando li esta história, e por isso não me lembro direito, mas é mais ou menos assim... Três rapazes saíram para pescar e, ao se depararem com uma tempestade, o barco naufragou. Após ficarem um longo tempo à deriva, foram parar numa praia de uma ilha deserta. Era um lugar paradisíaco com inúmeros pés de coqueiros carregados de frutos. Bem no meio dessa ilha, uma montanha alta erguia-se imponente. Nessa mesma noite, Deus apareceu no sonho dos três e lhes disse: "Seguindo a praia, um pouco mais à frente, vocês encontrarão três rochas redondas, bem grandes. Cada um deve pegar a sua e rolando-a deve levá-la para onde quiser. O local em que vocês colocarem a rocha será onde cada um irá viver. Quanto mais alto chegarem, melhor será a visão que terão do mundo. Fica a critério de cada um de vocês até onde pretendem chegar."

O rapaz toma um gole de água e faz uma pausa. Mari parece indiferente, mas seus ouvidos estão bem atentos.

— Até aqui, você entendeu?

Mari faz um gesto afirmativo, balançando a cabeça.

— Quer ouvir o resto? Se não quiser, paro de contar.

— Se não for uma história muito longa...

— Não é tão longa assim. Até que é uma história bem simples.

Ele bebe mais um gole de água e prossegue:

— Como Deus lhes havia dito, os três irmãos encontraram três rochas grandes na praia. E, conforme as instruções, os três começaram a rolar suas respectivas rochas. Se já era penoso rolar uma rocha grande e pesada na praia, imagina só quando tiveram que subir a montanha empurrando-a. O irmão caçula foi o primeiro a falar: "Irmãos! Para mim, aqui está bom. É perto da praia e dá pra pescar. Tenho o suficiente para viver bem. Não me importo de não ver a vastidão do mundo." Os outros dois continuaram a subir. Mas, ao chegarem ao meio da montanha, o irmão do meio disse: "Irmão! Para mim, aqui está bom. Frutas, aqui, são abundantes e terei o suficiente para viver bem. Não me importo de não ver a vastidão do mundo." E, assim, o irmão mais velho continuou a subir. O caminho foi ficando cada vez mais estreito e íngreme, mas mesmo assim ele não desistiu. Era uma pessoa muito perseverante e seu desejo era o de ver a vastidão do mundo, mesmo que fosse apenas uma parte dela. E, na medida do possível, foi empurrando a rocha para o alto. Foram vários meses de contínuo esforço, com escassez de comida e bebida, até finalmente conseguir alcançar o topo da montanha. Ao chegar lá, ele parou e contemplou o mundo. Naquele momento, ele era o primeiro homem que tinha a visão mais ampla daquela vastidão. Ali seria o lugar em que passaria a viver: um lugar sem plantas e que nem pássaros sobrevoavam. Água, somente lambendo o gelo ou o orvalho, e, comida, só mesmo mastigando musgos. Mas ele não se arrependeu. Isso porque conseguiu ver o mundo... E é por isso que, até hoje, nessa ilha do Havaí há uma montanha bem alta, com uma rocha redonda, bem grande, no topo dela. E essa é a história.

Silêncio.

Por fim, Mari pergunta:

— Por acaso essa história é daquelas que tem um ensinamento, uma moral ou coisa parecida?

— Creio que há pelo menos duas lições. A primeira é que... — o rapaz levanta um dedo — cada um é diferente do outro, independentemente de serem irmãos, e a segunda coisa é que... — o rapaz levanta mais um dedo — se uma pessoa quer realmente conhecer algo, deve estar ciente do preço a ser pago.

— Pra mim, as vidas que os dois irmãos mais novos escolheram viver fazem mais sentido — opina Mari.

— Concordo — admite o rapaz. — Acho que ninguém gostaria de viver no Havaí lambendo geada e comendo musgos, não é mesmo? Com certeza! Mas, para o irmão mais velho, era impossível ignorar a curiosidade de poder contemplar a vastidão do mundo. Mesmo que para isso o preço pago tenha sido tão alto.

— Curiosidade intelectual.

— Exatamente.

Mari fica pensativa. Sua mão está sobre o livro volumoso.

— Se eu te perguntasse educadamente o que está lendo, com certeza você não iria responder, não é mesmo? — pergunta o rapaz.

— Acho que não mesmo.

— O livro deve ser bem pesado, não?

Mari não responde.

— Não é do tamanho que as garotas costumam carregar dentro das bolsas, né?

Mari continua mantendo silêncio. O rapaz desiste e se põe a comer. Desta vez, concentra-se na salada de frango e, em silêncio, acaba de comê-la mastigando bem e tomando muita água. Pede várias vezes para a garçonete lhe servir mais água. Come o último pedaço de torrada.

— Se não me engano, você mora lá pelos lados de Hiyoshi, não é mesmo? — pergunta o rapaz. O prato vazio já foi recolhido.

Mari confirma, acenando a cabeça.

— Então não dá mais tempo pra pegar o último trem, hein! Se for pegar um táxi, aí tudo bem; mas, do contrário, trem é só amanhã de manhã, viu?

— Isso eu já sei... — responde Mari.

— Então... Tudo bem!

— Não sei onde você mora, mas seja onde for, você também já perdeu o último trem, não?

— Em Kôenji. Mas como moro sozinho e vou ficar ensaiando a noite toda, tudo bem. Além disso, em último caso, posso contar com os amigos que têm carro.

Ele dá leves toques no estojo do instrumento musical que está ao seu lado. É como se estivesse dando batidinhas na cabeça de um cachorro amigo.

— Minha banda ensaia aqui perto, no subsolo de um prédio — ele explica. — Lá podemos tocar bem alto que ninguém vem reclamar. O único problema é o aquecedor que não funciona direito e, nessa época do ano, o lugar é um gelo só, mas como é de graça, não podemos nos dar ao luxo de ficar exigindo coisas, não é mesmo?

Mari olha o estojo.

— Isso aí é um trombone?

— É sim. Como você descobriu? — pergunta o rapaz, um tanto surpreso.

— O formato, pelo menos, eu conheço...

— Puxa!... Sabia que a maioria das meninas sequer desconfia da existência de um instrumento chamado trombone? Mas paciência! Afinal Mick Jagger e Eric Clapton não ficaram famosos tocando trombone, não é mesmo? Será que alguma vez Jimi Hendrix ou Pete Townshend quebraram algum trombone nos palcos? Claro que não! O que todos quebram são guitarras elétricas. Se quebrassem trombones seriam alvo de gozação do público.

— Então por que você escolheu tocar trombone?

O rapaz coloca o creme no café recém-servido e toma um gole.

— Quando eu estava no ginásio, sem querer acabei comprando um disco de jazz, o *Blues-ette*, num sebo. Um LP antigo, bem antigo. Não sei por que comprei... Não consigo me lembrar. Só sei que, até então, nunca tinha ouvido jazz na minha vida. Mas, quando ouvi a faixa 1, do lado A, *Five spot after dark*... Nossa!... Era bom demais, *intenso*! Quem tocava o trombone era Curtis Fuller. Lembro que quando o ouvi pela primeira vez, meus olhos queriam se projetar para fora das órbitas. Foi aí que descobri que esse seria o meu instrumento. Eu e o trombone: um encontro do destino.

O rapaz assovia os primeiros oito compassos de *Five spot after dark*.

— Essa... Eu conheço! — diz Mari.

— Você conhece? — o rapaz pergunta surpreso e admirado.

Mari assovia os oito compassos seguintes.

— Como é que você sabe? — pergunta o rapaz.

— Não deveria saber?

O rapaz põe a xícara de café sobre a mesa e discretamente balança a cabeça.

— Não! Não é que não deveria... É que, simplesmente, é inacreditável que hoje em dia exista uma garota que conheça *Five spot after dark*... Ah! Deixa pra lá! E... Então, como eu ia dizendo, fiquei tão fascinado por esse tal de Curtis Fuller que resolvi aprender a tocar trombone. Pedi dinheiro emprestado a meus pais, comprei um trombone de segunda mão, entrei para um grupo da escola que usava instrumentos de sopro e, desde o ensino médio, toco em bandas. No começo eu tocava numa banda de rock como músico de apoio. Era uma banda como aquela antiga do Tower of Power. Você já ouviu falar em Tower of Power?

Mari balança a cabeça para dizer que não.

Ele logo acrescenta:

— Deixa estar, isso não vem ao caso. Antigamente, eu tocava isso, mas, hoje em dia, toco um inocente e modesto jazz. Minha faculdade pode não ser das melhores, mas a gente pelo menos tem uma banda bem boa.

A garçonete se aproxima para servir água. Ele recusa. Dá uma rápida olhada no relógio de pulso e comenta:

— Já está na hora. Preciso ir.

Mari não diz nada, mas a expressão de seu rosto é a de quem diz "*ninguém está te impedindo*".

— Se bem que todo mundo costuma chegar atrasado — o rapaz complementa.

Mari também não faz nenhum comentário sobre isso.

— E então, posso te pedir um favor? Diga a sua irmã que eu mando lembranças, ok?

— Por que você mesmo não telefona pra ela e diz isso pessoalmente? Afinal, você deve ter o telefone lá de casa, não é mesmo? E, mesmo que eu desse seu recado, como é que vou mandar lembranças suas, ou seja lá o que for, se nem ao menos sei o seu nome?

Ele pensa um pouco sobre isso.

— Mas veja bem! Digamos que eu ligue para sua casa e a própria Eri Asai atenda. O que eu vou dizer pra ela?

— Ué!? Diga que ligou pra falar de uma reunião da turma da escola ou... Ah! Sei lá! Na hora você inventa alguma coisa...

— Pra começar, não sou muito bom de conversa.

— Pois não parece. Comigo, você até que está bem falante, não acha?

— Não sei por quê, mas com você eu consigo falar.

— Comigo, "*não sabe por quê*", consegue falar? — Mari repete o que ele disse. — Isso quer dizer que, se minha irmã estivesse aqui na sua frente, você simplesmente não conseguiria falar?

— Creio que não.

— Não seria porque essa tal curiosidade intelectual ficaria superativada?

O rapaz expressa no rosto a incerteza: *será isso mesmo?* Ele começa a falar alguma coisa, mas logo desiste. Respira fundo. Em seguida, pega a conta que está sobre a mesa e calcula mentalmente.

— Depois, você paga tudo junto? Vou deixar a minha parte.

Mari concorda, balançando a cabeça.

O rapaz olha para ela e, em seguida, para o livro. Hesita, mas por fim cria coragem e pergunta:

— Sei que não é da minha conta, mas aconteceu alguma coisa? Do tipo: não está indo bem com o namorado; uma briga familiar; enfim, algo que justifique você estar aqui na cidade, sozinha, de madrugada?

Mari coloca os óculos e olha fixamente para o rapaz. O silêncio que ali impera denota intimidade e indiferença. O rapaz levanta os dois braços com as palmas das mãos viradas na direção dela como a pedir desculpas por estar sendo intrometido.

— Lá pelas cinco da manhã vou voltar aqui para fazer uma refeição leve — comenta o rapaz. — Vou estar com fome. Seria legal te reencontrar.

— Por quê?

— Bem, por que será, né?

— Porque você está preocupado comigo?

— Não deixa de ser.

— É porque você quer que eu mande lembranças pra minha irmã?

— Também pode ser isso.

— Minha irmã pode não saber a diferença entre um trombone e um miniforno elétrico, mas num piscar de olhos ela certamente consegue distinguir Gucci de Prada.

— Cada um tem seu campo de batalha — diz o rapaz sorrindo.

Em seguida, tira a agenda do bolso do casaco e começa a escrever alguma coisa com a caneta. Rasga a página e entrega o pedaço de papel a Mari.

— Esse é o número do meu celular. Se precisar, é só ligar. E... Você tem celular?

Mari balança a cabeça: ela não tem.

— Já desconfiava! — o rapaz finge estar impressionado. — Minha intuição já me dizia que essa garota, com certeza, não é do tipo que gosta de celular...

O rapaz pega o estojo de trombone e se levanta. Veste o casaco de couro. Em seu rosto ainda há resquícios de um sorriso:

— Até mais!

Mari se despede com um rosto inexpressivo e, sem ao menos ver o papel, coloca-o ao lado da conta. Depois, harmoniza o ritmo da respiração, apoia o queixo sobre uma das mãos e se põe a ler. A música ambiente soa bem baixinho *The april fools*, de Burt Bacharach.

2

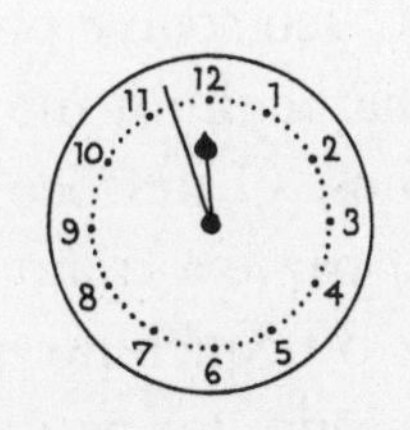

O quarto está escuro. Nossos olhos vão gradativamente se adaptando à escuridão. Uma mulher está dormindo na cama. É uma jovem muito bonita; é Eri, irmã mais velha de Mari. Eri Asai. Ninguém nos deu tais informações, mas digamos que de algum modo sabemos disso. Seus cabelos negros estendem-se sobre o travesseiro como o transbordar de águas escuras.

Assumimos um ponto de vista para observá-la em perspectiva. O melhor seria dizer que nossa real intenção é a de espioná-la *dissimuladamente*. Nosso ponto de vista, agora, assume a forma de uma câmera a pairar no ar, capaz de movimentar-se livremente dentro do quarto. Neste momento, a câmera posiciona-se num ponto bem acima da cama e focaliza seu rosto adormecido. A posição de nossa câmera muda em intervalos regulares como a se movimentar num piscar de olhos. Seus lábios pequeninos, de belos contornos, desenham uma linha reta. À primeira vista, não conseguimos ver nenhum sinal de que está respirando. No entanto, se a observarmos atentamente, notaremos um movimento sutil, *bem sutil*, na parte inferior do pescoço. Há respiração. Sua cabeça apoia-se no travesseiro e seu rosto está voltado para o teto. Mas, na verdade, ela não está vendo nada. Suas pálpebras estão cerradas como botões de flores resistindo ao inverno. Seu sono é profundo. Possivelmente, não está sonhando.

Enquanto observamos Eri Asai, torna-se cada vez mais forte o pressentimento de que seu sono é *anormal*.

O seu sono é por demais puro; por demais perfeito. Não há nenhum movimento dos músculos faciais ou dos cílios. O pescoço esguio e branco resguarda solenemente a paz e a tranquilidade de um objeto de arte artesanal, e o pequenino queixo, como um promontório bem delineado, forma um ângulo elegante. Por mais que se diga que alguém dorme profundamente, ninguém adentra tão profundamente o reino do sono. Ninguém abandona totalmente sua consciência assim, dessa maneira.

Entretanto, independentemente de existir ou não a consciência, em algum lugar as funções orgânicas para a manutenção da vida estão sendo preservadas. O nível mínimo de atividades vitais para a respiração e a pulsação está sendo mantido. A existência de Eri parece estar — discreta e cuidadosamente — mantida sobre o estreito limiar entre o mundo inorgânico e o orgânico. Nesse momento, ainda não temos condições de saber o "porquê" nem "como" isso aconteceu. O profundo estado em que Eri Asai dorme nos faz imaginar que uma camada de cera aquecida envolve-lhe o corpo. E, claramente, vemos aí algo que é incompatível com a natureza. Neste momento, isso é tudo o que podemos concluir.

A câmera afasta-se lentamente para trás e capta a imagem de todo o quarto. E, então, passa a observá-lo atentamente à procura de alguma pista. Definitivamente, não é um quarto decorado, pois nada nele sugere algum gosto ou particularidade de quem dorme ali. Sem a devida atenção, sequer saberíamos dizer que este quarto é de uma moça. Não há bonecas, bichinhos de pelúcia ou algum tipo de enfeite. Não há nenhum pôster e nem mesmo um calendário. De frente à janela há uma mesa velha de madeira e uma cadeira giratória. Uma cortina rolô cobre a janela. Sobre a mesa temos uma luminária bem simples, na cor preta, e o mais recente modelo de notebook, com a tampa fechada. E, dentro de uma caneca, algumas canetas e lápis.

No canto da parede há uma cama simples de solteiro, de madeira, onde Eri Asai está dormindo. A colcha é de tecido branco e liso. Na prateleira na parede oposta à cama, há um aparelho estéreo compacto e alguns CDs empilhados. Ao lado, temos um telefone e uma televisão 18 polegadas e uma cômoda com espelho. Em frente ao espelho temos apenas um creme protetor para lábios e uma pequena escova redonda de cabelo. Na continuação da parede há um closet estilo *walk-in*. Os únicos objetos decorativos que encontramos são cinco fotos em pequenas molduras colocadas uma ao lado da outra: todas de Eri Asai. Em todas, Eri está sozinha. Em nenhuma delas aparecem amigos ou alguém da família. São fotos profissionais com pose de modelo, dessas que devem ter saído em revistas. Há, também, uma pequena estante de livros, mas livros mesmo são poucos, pois a maioria é de didáticos, da faculdade. O restante são pilhas e mais pilhas de revistas enormes de moda. Seria muito difícil dizer que ela realmente lê livros.

Nós captamos através de nossa câmera imaginária todas as coisas existentes no quarto — uma a uma — sem nenhuma pressa, diligentemente. Somos uma espécie de invasor anônimo; invisíveis. Nós podemos ver. E, atentamente, ouvimos tudo. Sentimos os cheiros. Mas fisicamente não estamos aqui, não há nenhum vestígio de nossa presença. Pode-se dizer que respeitamos e seguimos as mesmas regras de uma autêntica viagem no tempo. Observamos, mas não interferimos. No entanto, para falar a verdade, as informações sobre Eri Asai que podemos levantar a partir deste quarto, definitivamente, estão longe de serem suficientes. A impressão que temos é de que a personalidade dela foi sorrateiramente ocultada e que habilmente conseguiu escapar de nossa atenta observação.

Na cabeceira da cama, o relógio digital marca silenciosamente as horas, renovando continuamente o passar do tempo. Neste momento, o relógio é a única coisa que tem movimento no quarto: um cauteloso ser vivo noturno movido a eletricidade. Os números, em cristal líquido verde, vão se alterando, esquivando-se dos olhos humanos. Agora são 23h59.

Após uma observação minuciosa, nossa câmera se distancia e novamente capta o quarto em perspectiva. Nesse amplo campo visual, fixamos nosso olhar num ponto específico e, mantendo-o assim, tentamos assimilar o que estamos sentindo. Um silêncio significativo reina no ambiente. Nisso, de repente, lembramos que há uma TV no canto do quarto e, imediatamente, nosso foco recai sobre ela; e, dela, nos aproximamos lentamente. É uma televisão preta, quadrada, da Sony. A tela está escura, tão morta quanto o lado escuro da lua. No entanto, nossa câmera parece ter captado um sinal. Ou tido algum pressentimento. A câmera faz um close-up da tela. E nós, juntamente com a câmera, em silêncio, observamos essa tela à espera desse sinal ou presságio.

Nós aguardamos. Controlamos a respiração e ouvimos a tudo atentamente.

O relógio marca 0h00.

Ouvimos ruídos de estática: *tzumm... tzumm*. Simultaneamente, a tela começa a emitir piscadelas, uns pequenos lampejos de vida. Será que, enquanto estávamos distraídos, alguém entrou no quarto e ligou a TV? Ou será que alguém tinha previamente feito alguma programação digital? Não! Nada é nada disso. No intuito de averiguar o que está acontecendo, a câmera dá a volta no aparelho e ao olhar por trás constata que *o cabo de alimentação está desconectado* da tomada. É isso mesmo! Por incrível que pareça, a televisão deveria estar literalmente "morta". Ela deveria estar dura e fria, resguardando apenas o silêncio da meia-noite. Teoricamente, isso seria a lógica. No entanto, ela não está morta.

As linhas de varredura aparecem na tela, tremeluzem e, após esses sinais sem forma, desaparecem. Depois, novamente, as linhas ressurgem. Nesse meio-tempo, o tzumm... tzumm da estática continua com seus estalidos. Até que, finalmente, algo começa a surgir na tela. Uma imagem começa a tomar forma, mas logo se distorce — como letras em itálico — e, tal qual a chama que se apaga com um sopro, essa imagem também desaparece. Tudo se repete novamente desde o princípio. A imagem aos poucos parece adquirir forças e, num vai-não-vai, tenta se firmar na tela. Alguma coisa tenta se materializar, se fixar na tela, mas por enquanto em vão. A imagem está distorcida como se a antena externa estivesse sendo agitada por um forte vendaval. A mensagem se fragmenta, o contorno fica prejudicado e a imagem se dispersa. A câmera nos transmite fielmente todos os detalhes do que está acontecendo.

A garota que dorme parece não perceber essa anormalidade que está ocorrendo em seu quarto. Não tem nenhuma reação aos ruídos intermitentes e nem mesmo às luzes insistentes emitidas pela televisão. Ela continua a dormir tranquilamente durante o processo de completa instalação desse algo. Neste momento, nada, seja lá o que for, seria capaz de perturbar seu sono profundo. A TV é o novo ser que invade o quarto. É claro que nós também somos invasores. Mas, diferente de nós, o novo invasor não é silencioso nem tampouco invisível. E, também, não é imparcial. Não há dúvidas de que ele *quer intervir* neste quarto. Intuitivamente, deduzimos sua intenção.

Apesar de a imagem da TV oscilar num ir e vir, percebemos que, gradativamente, ela vai se estabilizando. Em sua tela temos a imagem de um quarto: um quarto bem grande. Lembra uma sala de um edifício comercial, ou até uma sala de aula. Há uma janela de vidro bem grande e, no teto, inúmeras lâmpadas fluorescentes enfileiradas. No entanto, não há nenhuma mobília. Não; estamos enganados. Ao observarmos melhor, vemos lá no meio desse espaço um único móvel: uma cadeira. Uma cadeira de madeira, velha, com encosto e sem os apoios de braço. Uma cadeira bem simples, dessas utilizadas em estabelecimentos comerciais. Alguém está sentado nela. Como a imagem ainda não está completamente estabilizada, só podemos ver os contornos de sua silhueta, ainda bem borrados e imprecisos. O local parece abandonado há muito tempo e uma atmosfera gélida paira no ar.

A câmera que "tenta" nos transmitir essa imagem através da televisão cautelosamente fecha seu foco na cadeira. Pela silhueta supomos que quem se senta nela é um homem. Ele está com o corpo levemente inclinado para a frente. Seu rosto está voltado para a frente e parece fazer profundas reflexões. Veste roupas escuras e calça sapatos de couro. Apesar de não podermos ver o seu rosto, podemos arriscar que ele é do tipo magro e não muito alto. A idade, não vamos arriscar. Enquanto estamos aqui tentando juntar cada fragmento de informação através dessa tela imprecisa, vez por outra a imagem volta a se distorcer. Apesar de o ruído de interferência aumentar, isso não se estende por muito tempo e a imagem novamente se restaura. O ruído também diminui. A imagem tenta a todo custo se firmar e, em breve, isto está para acontecer.

Neste quarto, com certeza, está para acontecer alguma coisa. *Algo* muito significativo.

3

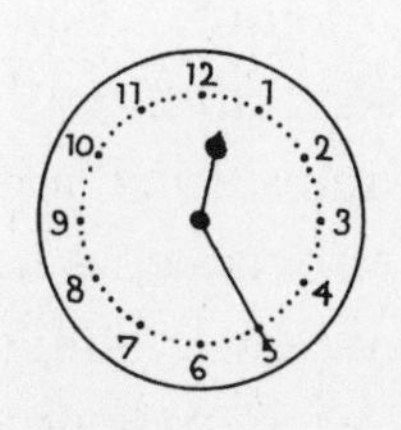

Voltamos ao Denny's. A música ambiente é *More*, de Martin Denny. O número de clientes é visivelmente menor do que trinta minutos antes. Não se ouve mais o burburinho. Temos a impressão de que adentramos a noite.

Mari continua sentada lendo seu livro grosso. Um sanduíche vegetariano está sobre a mesa, praticamente intocado. Pelo visto, ela só pediu o sanduíche para fazer hora e não porque está com fome. De vez em quando, ela muda de postura: às vezes apoia o cotovelo na mesa, em outras afunda-se na cadeira. De vez em quando levanta o rosto, respira fundo e observa o movimento da loja. Fora isso, está sempre concentrada na leitura. Arriscaríamos dizer que o seu poder de concentração é uma de suas principais habilidades.

Observamos que aumentou o número de pessoas desacompanhadas: uma está digitando alguma coisa no notebook; a outra envia mensagens pelo celular; uma outra, assim como ela, está concentrada em alguma leitura; há aquela que está absorta em seus pensamentos, olhando a rua pela janela. Talvez elas não consigam dormir. Ou, simplesmente, são pessoas que não querem dormir. Esses restaurantes familiares são locais ideais para esses tipos de pessoas passarem a madrugada.

Uma mulher alta e corpulenta entra no estabelecimento após demonstrar impaciência em esperar a porta automática se abrir. Ela é robusta, mas não chega a ser gorda. Tem ombros largos e, à primeira vista, parece ser bem forte. Veste uma touca preta de lã puxada até os olhos, uma jaqueta grande de couro e calça laranja. Não tem nada nas mãos. Seu jeito destemido chama a atenção. Ao entrar na loja, a garçonete se aproxima e pergunta: "Mesa para um?", mas ela simplesmente a ignora. Aflita, lança um rápido olhar pelo salão. Ao avistar Mari, parece ter encontrado quem procurava, e a passos largos caminha em sua direção.

Sem dizer nada, senta-se em frente a Mari. Apesar de ser grande, seus movimentos são ágeis, rápidos e sem excessos.

— Oi... Será que posso? — ela pergunta.

Quando Mari, concentrada na leitura, levanta o rosto e encontra essa mulher grande sentada bem na sua frente, leva um tremendo susto.

A mulher tira a touca de lã. Seus cabelos são de um loiro vivo, berrante; o corte é bem curtinho e bem aparado, como grama recém-cortada. Suas feições são de uma pessoa aberta e sua pele rija lembra uma capa de chuva que durante muito tempo ficou exposta às intempéries. Não há simetria entre a face direita e a esquerda, mas, ao observá-la atentamente, notaremos que inspira confiança. Tem carisma. E, em vez do tradicional cumprimento, ela sorri entortando a boca para um dos lados, enquanto coça com a mão grossa seus cabelos curtos e loiros.

A garçonete se aproxima e, conforme o manual, traz um copo de água e o cardápio, mas a mulher acena com a mão num gesto de recusa:

— Não, não quero! Já vou embora. Desculpa, tá?

A garçonete se retira esboçando um sorriso amarelo.

— Você é Mari Asai, não é? — pergunta a mulher.

— Sou sim. Por quê?

— Foi o Takahashi que me disse que você provavelmente ainda estaria por aqui.

— Takahashi?

— Tetsuya Takahashi. Cara alto, cabelo comprido, magricela... O que toca trombone...

Mari já sabe quem é e balança a cabeça.

— Ah, ele.

— Isso mesmo. Foi o Takahashi que me disse. É verdade que você é fluente em chinês?

— Se for algo simples, acho que sim — responde cautelosa. — Mas não falo tão bem assim!

— Então tudo bem. Não me leve a mal, mas será que você poderia me acompanhar? É que lá no trabalho tem uma garota chinesa que teve um probleminha e ela não fala japonês. Não temos como saber o que de fato aconteceu com ela.

Mesmo sem entender do que a mulher estava falando, Mari coloca o marcador na página, fecha o livro e o coloca no canto da mesa.

— Um *problema*?

— É que ela se machucou um pouquinho. É aqui perto. Dá para ir andando. Não vou tomar muito seu tempo. Só quero que você traduza mais ou menos o que aconteceu. Fico te devendo essa!

Mari mostra-se um pouco relutante, mas vendo o rosto da mulher percebe que não é uma pessoa má. Guarda o livro na bolsa e veste o agasalho. Estende o braço para pegar a conta que está sobre a mesa, mas a mulher se antecipa.

— Deixa que eu pago.

— Não, pode deixar. O consumo foi meu.

— Deixa disso! Pare de retrucar e deixa eu pagar pelo menos isso, tá?

Quando as duas se levantam, logo se percebe a diferença de altura entre elas. Mari é do tipo mignon e a mulher é uma fortaleza. Ela deve ter cerca de um metro e setenta e cinco de altura. Mari desiste de insistir e deixa a mulher pagar a conta.

As duas saem do Denny's. Apesar da hora, as ruas continuam movimentadas: sons eletrônicos do *game center*, a chamada dos pregoeiros do karaokê e o barulho dos escapamentos das motos. Três rapazes estão sentados à toa na calçada em frente a uma loja fechada. Quando Mari e essa mulher passam na frente deles, eles olham para elas com certa curiosidade. No mínimo, devem ter achado muito estranho essa dupla. Mas não falam nada. Ficam apenas as observando. A porta da loja está toda pichada com tinta spray.

— Eu me chamo Kaoru. Sei que não tenho jeito de Kaoru, que é tão delicado, mas foi o nome que me deram quando nasci.

— Muito prazer — cumprimenta Mari.

— Desculpe-me ter tirado você de lá, assim... Às pressas. Você deve estar assustada, não é?

Mari não sabe o que responder e por isso prefere não dizer nada.

— Quer que eu ajude a carregar a bolsa? Parece tão pesada! — pergunta Kaoru.

— Pode deixar.

— O que você carrega aí, hein?

— Livros, mudas de roupa...

— Por um acaso, você não está fugindo de casa, está?

— Não é nada disso — respondeu Mari.

— Então tudo bem.

As duas continuam andando. Deixam as ruas movimentadas e seguem por uma ladeira estreita. Os passos de Kaoru são rápidos e Mari tenta segui-la. Passam por uma escadaria mal-iluminada e pouco frequentada e chegam a outra rua. Era apenas um atalho ligando as duas vias. Os letreiros de alguns bares ainda estão acesos, mas não se vê ninguém circulando nessa área.

— É bem aí, nesse motel — aponta Kaoru.

— Motel?

— É isso mesmo. Motel. Hotel para casais. Ou melhor, local para encontros amorosos. Está vendo aquele luminoso escrito Alphaville? É lá!

Ao ouvir esse nome, Mari instintivamente olha para Kaoru.

— Alphaville?

— Não se preocupe! Não é um lugar perigoso. Sou a gerente desse motel.

— É aí que tem uma pessoa machucada?

Kaoru continua andando um pouco à frente e volta-se para trás dizendo:

— É sim. É uma história um tanto chata...

— O Takahashi está aí?

— Não. Ele não está aqui. Ele está no subsolo de um edifício perto daqui e vai ficar lá até de manhã ensaiando com a banda dele. Os estudantes levam uma vida boa, você não acha?

As duas entram no motel Alphaville. Logo na entrada, os clientes olham um painel de fotos dos quartos, escolhem o que lhes agrade, apertam o botão correspondente ao seu número e recebem as chaves. Depois, pegam o elevador e se dirigem ao quarto. Esse sistema evita que a pessoa tenha de se expor ou precise conversar com alguém. Há dois tipos de tarifas: por período ou pernoite. A iluminação é azulada, deixando o ambiente na penumbra. Mari olha para os lados, demonstrando curiosidade. Discretamente, Kaoru fala alguma coisa para a garota que está no balcão dos fundos.

— Pelo jeito, você nunca esteve num lugar assim, não é mesmo? — pergunta Kaoru.

— É a primeira vez.

— Ah é? Bem, no mundo existem muitos tipos de negócios.

Kaoru e Mari pegam o elevador social e sobem. Atravessam um corredor pequeno e estreito e param em frente ao quarto 404. Assim que Kaoru dá duas batidinhas, alguém de dentro abre a porta. Uma jovem de cabelos tingidos de vermelho aparece e demonstra certo nervosismo. Ela é magra e seu rosto está empalidecido. Veste uma camiseta *pink* bem folgada e jeans azul com rasgos. Tem um piercing bem grande na orelha.

— Kaoru! Que bom que é você... Tava demorando muito! Não via a hora de você chegar — disse a garota de cabelos vermelhos.

— Como ela está? — pergunta Kaoru.

— Continua na mesma.

— Parou de sangrar?

— Dei um jeito. Se bem que tive de usar muito papel-toalha.

Kaoru faz Mari entrar e fecha a porta. Dentro do quarto, além da garota de cabelos vermelhos, há mais uma funcionária. Ela é baixinha e seus cabelos pretos estão presos. Ela está passando esfregão no chão. Kaoru apresenta Mari para as duas funcionárias.

— Esta é a Mari. Aquela que falei que sabia falar chinês. Esta de cabelos vermelhos se chama Komugui. Não acha esquisito alguém ter um nome que também significa "trigo"? Mas é verdade; esse é seu nome de registro, mesmo. Ela trabalha comigo há muito tempo.

Komugui gentilmente sorri para Mari.

— Muito prazer!

— O prazer é todo meu — retribui Mari.

— A outra é Koorogui. Isso mesmo, "grilo"; carinhosamente, nós a chamamos de "grilinha" — explica Kaoru. — Só que, no caso dela, logicamente esse não é o seu nome verdadeiro.

— Não leve a mal, tá? Mas sabe como é, né? Tive que descartar meu nome verdadeiro... — Koorogui justifica-se com um leve sotaque da região de Kioto e Osaka. Ela aparenta ser um pouco mais velha que Komugui.

— Muito prazer — diz Mari.

O quarto não tem janelas e por isso o ambiente é abafado. A cama e a televisão são tão grandes que ficam desproporcionais às dimensões do cômodo. Num dos cantos, uma mulher nua está toda encolhida e agachada no chão. Ela esconde o corpo com uma toalha e, cobrindo o rosto com as mãos, chora sem emitir sons. Há uma toalha tingida de sangue sobre o chão. Vemos, também, sangue no lençol. O abajur de pé está tombado. Sobre a mesa há uma garrafa de cerveja pela metade e um único copo. A televisão está ligada, sintonizada num programa humorístico. A plateia ri. Kaoru pega o controle remoto e a desliga.

— Parece que ela levou um belo soco, hein? — Kaoru comenta com Mari.

— Foi do homem que estava com ela? — indaga Mari.

— É sim. Foi o cliente.

— Cliente? Ela é prostituta?

— Isso mesmo. Nesse horário a maioria que frequenta aqui é profissional — explica Kaoru. — É por isso que às vezes acontecem problemas desagradáveis. Sabe como é: discussões na hora de pagar, caras que abusam nos atos de perversão... Esse tipo de coisa.

Mari dá uma leve mordida no lábio inferior enquanto recompõe os pensamentos.

— E então... Ela só sabe falar chinês, é isso?

— Ela fala pouquíssimo japonês. E não queremos chamar a polícia. Além do mais, ela deve ser clandestina e eu não estou a fim de ficar perdendo meu tempo indo-e-vindo prestar depoimentos.

Mari tira a bolsa do ombro, coloca-a sobre a mesa e se aproxima da garota que está agachada. Ela também se agacha e começa a falar em chinês.

— *Ni zen me le?* (O que aconteceu?)

Se ouviu ou não a pergunta de Mari, nós não saberemos, mas ela não responde. Está tremendo e chora convulsivamente. Kaoru balança levemente a cabeça demonstrando compreensão.

— Deve ter sido um choque! O cara machucou pra valer. — Mari fala novamente com a garota. — *Shi zhong guo ren ma?* (Você veio da China?)

A garota continua sem responder.

— *Fang xin ba. Wo gen jing cha mei guan xi.* (Não se preocupe. Não sou da polícia.)

A garota continua sem responder.

— *Ni bei ta da le ma?* (Você foi agredida por algum homem?) — pergunta Mari.

Finalmente, a garota confirma balançando a cabeça. Seus cabelos negros e compridos fazem um leve movimento.

Mari continua a conversar com a garota num tom calmo, mas persistente. Repete várias vezes a mesma pergunta. Kaoru cruza os braços e observa com certo ar de preocupação a conversa entre as duas. Enquanto isso, Komugui e Koorogui dividem as tarefas para a arrumação do quarto. Elas recolhem os papéis-toalha sujos de sangue e os colocam num saco de lixo. Tiram o lençol manchado e substituem a toalha do banheiro. Levantam e posicionam o abajur no lugar e recolhem a garrafa de cerveja e o copo. Verificam os outros objetos no quarto e limpam o banheiro. As duas parecem estar acostumadas a trabalhar juntas e, durante a arrumação, não há desperdícios em seus movimentos.

Mari está agachada no canto do quarto e continua a conversar com a garota. Ela parece estar bem mais calma por poder se comunicar em sua língua. Apesar de sua fala ainda estar entrecortada, ela começa a explicar o que aconteceu. Como a garota está falando muito baixinho, Mari precisa aproximar bem o ouvido para escutá-la. Mari ouve atentamente tudo o que ela diz e, para mostrar que está compreendendo, vez por outra balança a cabeça ou, às vezes, diz alguma coisa para encorajá-la.

Kaoru dá uns tapinhas no ombro de Mari e diz:

— Desculpa, mas é que preciso liberar este quarto para outro cliente. Vou levar a garota para o escritório que fica no andar de baixo. Será que você poderia vir junto?

— Mas ela está completamente nua. O homem que estava com ela tirou toda sua roupa, desde os sapatos até as roupas íntimas, levou tudo, tudo!

Kaoru balança a cabeça, indignada:

— Esse cara deve ter levado tudo pra que ela não pudesse falar logo com a polícia. É um sem-vergonha!

Kaoru tira do armário um roupão de banho de tecido leve e o entrega a Mari.

— Por enquanto, peça pra ela vestir isso.

A garota levanta-se com dificuldade e, ainda meio atordoada, tira a toalha, ficando totalmente nua. E, cambaleante, veste o roupão. Mari, rapidamente, desvia o olhar. A garota é pequena, mas tem um belo corpo. O formato de seus seios é bonito, a pele é macia e os pelos pubianos são bem discretos. Ela deve ter a mesma idade de Mari. O seu corpo ainda tem os resquícios da puberdade. Como ela tem dificuldades para caminhar, Kaoru a faz apoiar-se em seus ombros e a ajuda a sair do quarto. Descem para o andar de baixo utilizando o elevador de serviço. Mari pega a bolsa e segue as duas. Komugui e Koorogui ficam no quarto para terminar a limpeza.

As três garotas entram no escritório. Rente à parede há muitas caixas de papelão empilhadas. Há uma mesa de aço típica de escritório e o mínimo para uma área de recepção: um sofá e uma poltrona. Sobre a mesa de aço temos um teclado de computador e um monitor de cristal líquido. Na parede há um calendário, um autógrafo do Mitsuo Aida numa moldura e um relógio digital. Nesta sala temos também uma televisão portátil e um forno de micro-ondas sobre uma geladeira pequena. A sala fica bem apertada com três pessoas. Kaoru ajuda a prostituta chinesa de roupão a se sentar no sofá. A garota parece sentir muito frio e segura firmemente o roupão para mantê-lo bem colado ao corpo.

Kaoru direciona a luz do abajur no rosto da prostituta e examina cuidadosamente a ferida. Traz a caixa de medicamentos e, com um chumaço de algodão embebido em álcool, delicadamente limpa o sangue coagulado sobre a ferida. Coloca band-aids na ferida. Verifica com o toque dos dedos se ela não quebrou o nariz. Levanta as pálpebras e confere se há afluxo de sangue nos olhos. Passa as mãos na cabeça para ver se não há nenhum galo. Kaoru parece estar acostumada com isso e é impressionante sua habilidade. Depois, ela tira da geladeira um tipo de almofadinha gelada, embrulha-a numa toalha pequena e a passa para a garota.

— Pegue isso e deixe um tempo nessa região logo abaixo dos olhos.

Assim que diz isso, lembra-se de que a garota não entende japonês e logo começa a fazer o gesto de colocar a compressa abaixo dos olhos. A garota compreende o gesto e segue a orientação.

Kaoru olha para Mari e diz:

— Ela sangrou muito, mas grande parte era de sangue do nariz. Felizmente, não há nenhum ferimento grave. Não tem galos na cabeça e também não parece ter quebrado nada. Teve cortes nos cantos dos olhos e nos lábios, mas não será necessário dar pontos. Quando se leva um soco, a área ao redor dos olhos fica roxa durante pelo menos uma semana e, com certeza, vai afetar seu trabalho.

Mari concorda.

— O cara que fez isso era forte, mas o jeito de socar é de um amador — avalia Kaoru. — Com socos dados assim de qualquer jeito, a mão dele deve estar doendo muito! O cara usou tanta força que até atingiu a parede. Tinha uns afundamentos espalhados na parede. Pelo visto, ele perdeu a cabeça e não conseguiu mais se controlar.

Komugui entra no escritório e tira alguma coisa de uma das caixas de papelão empilhadas num canto. Ela veio buscar um roupão para repor o do quarto 404.

— Ela disse que o homem levou a bolsa, o dinheiro e até o celular dela — explica Mari.

— O quê? Esse cara fugiu para não pagar? — Komugui se intromete na conversa.

— Não. Não é bem isso! É que... Éeee... Como posso dizer... É que antes de começar, de repente, veio a menstruação. Desceu antes do previsto. É por isso que o homem ficou zangado e começou a brigar...

— Não tem jeito mesmo! — disse Komugui. — Quando isso vem, é de repente mesmo! É tiro e queda!

Kaoru dá um estalo de língua.

— Tá bom, tá bom! Em vcz dc ficar aí tagarclando, volte logo pro 404 e termine a arrumação.

— Ok! Desculpa — responde Komugui e se retira do escritório.

— Quer dizer que, quando ele ia fazer "aquilo", percebeu que a mulher tinha ficado menstruada e teve um acesso de raiva, saiu dando murros pra tudo quanto é lado, roubou o dinheiro e as roupas dela e simplesmente desapareceu — diz Kaoru, indignada. — Esse cara tem problemas, não é?

Mari concorda.

— Ela está dizendo que sente muito por ter manchado o lençol de sangue.

— Isso não tem importância! Estamos acostumadas. Não sei por quê, mas muitas garotas ficam menstruadas no motel, sabia? Vira e mexe elas telefonam pedindo algum absorvente higiênico ou tampão. Sabe que às vezes dá até vontade de dizer "Hei! Aqui não é nenhuma rede das drogarias Matsukiyo, tá?". Ah! Mas deixa pra lá, afinal precisamos é colocar alguma roupa nela. Desse jeito não dá pra ela sair, não é mesmo?

Kaoru pega de dentro da caixa de papelão uma embalagem de plástico com uma calcinha. É uma peça básica que se encontra nas máquinas automáticas que ficam dentro do quarto.

— É baratinho e só serve pra quebrar o galho. Como é descartável, não pode nem ser lavada. Para uso imediato, acho que serve. Afinal, sem calcinha, não dá pra ficar sossegada com aquele ventinho passando lá embaixo, né?

Em seguida, Kaoru vasculha o armário e encontra um conjunto de agasalho em jérsei verde, já bem desbotado, e o entrega à prostituta.

— Foi uma antiga funcionária que trabalhava aqui que deixou isso. Já foi lavado e por isso está limpo, não se preocupe. Essa roupa ela não precisa devolver. Para calçar, só temos sandálias descartáveis de borracha, mas acho que é melhor do que ficar com o pé no chão, não é mesmo?

Mari explica isso para a garota. Kaoru abre a gaveta e tira alguns absorventes. Entrega-os à prostituta.

— Use também isso. Vá se vestir no banheiro — e com o queixo aponta a porta do banheiro.

A prostituta diz:

— *Arigato* — obrigado, em japonês. E, segurando as roupas que lhe foram entregues, entra no banheiro.

Kaoru senta-se na cadeira em frente à mesa, balança lentamente o pescoço para a direita e para a esquerda e dá um longo suspiro.

— Nesse tipo de trabalho, acontece cada uma... Cê nem imagina!

— Ela disse que chegou ao Japão há cerca de dois meses — diz Mari.

— É clandestina, não é?

— Isso eu não perguntei, mas, pelo modo de falar, ela deve ser do norte.

— Ah! Deve ser da antiga Manchúria, não é?

— Acho que sim.

— Hum. E, por falar nisso, será que alguém vem buscá-la? — pergunta Kaoru.

— Parece que tem um chefão que comanda esse serviço.

— Deve ser a máfia chinesa. Eles controlam a prostituição dessa área — explica Kaoru. — Eles trazem as garotas de navio e entram clandestinamente. Para pagar o custo da viagem eles as obrigam a vender o corpo. Eles atendem por telefone e trazem a garota até o motel de moto. É como uma entrega de pizza; a encomenda é fresquinha e quentinha. São nossos clientes.

— Você disse máfia? É como a máfia japonesa, a *yakuza*?

Kaoru balança a cabeça.

— Não, não mesmo! Eu já fui profissional de luta livre e participei de inúmeras competições nacionais e nisso acabei conhecendo uns rapazes da *yakuza*. Mas, cá entre nós, perto da máfia chinesa os nossos *yakuzas* são umas gracinhas. É isso mesmo! O que eu quero dizer é que a gente não faz a mínima ideia do que essa máfia chinesa é capaz. Mas, no caso dessa garota, ela não tem escolha: ela só pode voltar para eles.

— Será que eles vão puni-la por não ganhar dinheiro hoje?

— Não sei. Mas, seja como for, com esse rosto ela não vai ter clientes por um bom tempo e, no caso dela, se não puder trabalhar, ela não vale nadinha. Mesmo sendo uma garota tão bonita.

A prostituta sai do banheiro. Ela está usando o agasalho de jérsei verde desbotado e a sandália de borracha. Na altura do peito, vemos a marca Adidas. A marca arroxeada no seu rosto está bem visível, mas os cabelos estão mais ajeitados. Mesmo com um agasalho velho, com os lábios inchados e saltados e o rosto com manchas arroxeadas, ela continua sendo uma mulher bonita.

Kaoru pergunta à prostituta em japonês:

— Você quer usar o telefone?

Mari traduz em chinês:

— *Yao da dian hua ma?* (Você quer usar o telefone?)

A prostituta responde que sim e agradece em japonês:

— *Hai, arigato.*

Kaoru passa o telefone branco sem fio para ela. A prostituta tecla alguns números e explica em chinês o ocorrido, com a voz bem baixinha, à pessoa que está do outro lado da linha. Nisso, a outra pessoa começa a falar rápido e a gritar rispidamente. As respostas dela são monossilábicas. Logo depois, ela desliga o telefone. E, com uma expressão séria, devolve o aparelho para Kaoru.

A prostituta volta-se para Kaoru e diz "muito obrigada" em japonês:

— *Domo arigato!* — Depois, olha para Mari e comenta: — *Ma shang you ren lai jie wo.* (Uma pessoa vai vir me buscar. Daqui a pouco.)

Mari informa o que ela disse para Kaoru:

— Parece que logo, logo alguém vem buscá-la.

Kaoru franze as sobrancelhas:

— E, por falar nisso, não recebi a diária do hotel. Normalmente, é o homem que acerta a conta, mas esse cara saiu sem pagar! Tem até uma cerveja...

— A pessoa que vem buscá-la não vai acertar a conta? — pergunta Mari.

— Humm — Kaoru fica pensativa. — Tomara que tudo acabe bem.

Kaoru coloca folhas de chá no bule, enche-o com a água quente da garrafa térmica e prepara três xícaras. Serve uma delas para a prostituta, que, após agradecer, aceita o chá e o leva à boca. No entanto, sente dificuldades em tomá-lo quente, por causa dos cortes nos lábios. Mesmo assim, toma um gole fazendo careta e franzindo a sobrancelha.

Enquanto toma o chá, Kaoru olha para a prostituta e conversa em japonês.

— Pra você também não deve ser nada fácil, não é? Veio até esse distante Japão, viajando clandestinamente e, o pior, vai ser explorada por esses caras. Não sei como era sua vida lá, mas não teria sido melhor ter ficado por lá, em vez de vir parar num lugar desses?

— Você quer que eu traduza? — pergunta Mari.

Kaoru faz que não, balançando a cabeça.

— Não precisa. Eu estava apenas pensando alto.

Mari puxa assunto com a prostituta:

— *Ni ji sui le?* (Quantos anos você tem?)

— *Shi jiu.* (Dezenove.)

— *Wo ye shi. Jiao she me ming zi?* (Eu também. Como se chama?)

A prostituta hesita um pouco antes de responder:

— Guo Dongli.

— *Wo jiao Mali.* (Meu nome é Mari.)

Mari sorri para a garota. É um sorriso discreto, mas, naquela noite, é a primeira vez que ela sorri.

Uma motocicleta para em frente ao motel Alphaville. É uma moto Honda, daquelas bem grandes, modelo esportivo. O homem que a pilota usa um capacete que encobre seu rosto. Ele mantém o motor ligado, pronto para dar uma arrancada, caso seja necessário. Veste uma jaqueta de couro preta bem justa e jeans azuis. Usa tênis de basquete de cano alto e luvas grossas. Remove o capacete e o coloca sobre o tanque. Olha atentamente ao redor antes de tirar uma das luvas e pegar o celular do bolso da jaqueta. Disca um número. Ele tem uns trinta anos. Seu cabelo tingido de castanho-avermelhado está preso em um rabo de cavalo. Testa larga, rosto chupado e olhar atento. Fala alguma coisa rapidamente ao celular. Desliga e guarda o aparelho no bolso. Coloca novamente a luva e aguarda.

Enfim, as três — Kaoru, a prostituta e Mari — saem do motel. A prostituta caminha em direção à moto; seus passos pesados são acompanhados pelo plac-plac das solas das sandálias de borracha em contato com o chão. A temperatura está mais baixa, e apenas o agasalho não deve conter o frio. O homem da moto diz rispidamente alguma coisa e a garota responde bem baixinho.

Kaoru volta-se para o homem da moto:

— E aí, cara?! Nós ainda não recebemos a diária do quarto!

Ele fica encarando Kaoru durante algum tempo. Depois, diz:

— Valor do hotel; eu, não pago. Homem, que paga. — Sua pronúncia é inexpressiva; suas palavras não denotam nenhuma emoção.

— Ah, isso eu já sei! — diz Kaoru, com a voz rouca. Ela, então, pigarreia para limpar a garganta e continua. — Mas sabe como é, né? Nosso negócio gira em torno de uma área muito restrita e vira e mexe nos encontraremos, não é mesmo? Fique sabendo que o que aconteceu hoje também nos causou transtornos. Afinal, foi um caso de lesão corporal. Eu bem que podia ter ligado pra polícia, mas, se eu fizesse isso, vocês se meteriam numa bela enrascada, não? É por isso que, pagando os 6.800 ienes do quarto, ficamos quites. A cerveja fica por conta da casa. Dividimos, assim, os prejuízos, ok?

O homem, sem expressão alguma, fica olhando para Kaoru. Depois, ergue o rosto para ver o neon: Alphaville. E, então, tira novamente a luva e coloca a mão no bolso da jaqueta para pegar a carteira de couro. Conta sete notas de mil ienes e joga-as no chão. Como não está ventando, as notas caem verticalmente e permanecem no chão. O homem recoloca a luva. Levanta o pulso e verifica as horas no relógio. Seus movimentos são tão lentos que chega a ser estranho. O homem, definitivamente, não tem nenhuma pressa. É como se ele quisesse impressionar as três garotas com o abrupto peso de sua existência. Mas, seja lá como for, ele tem todo o tempo do mundo para fazer o que quiser. E, enquanto isso, o motor da moto continua a rugir como um animal selvagem que tem pressa.

— Você tem muita coragem — o homem diz para Kaoru.

— Obrigada! — responde ela.

— Se você tivesse ligado para a polícia, as coisas por aqui iriam pegar fogo — ele comenta.

Um profundo silêncio reina durante algum tempo. Sem desviar o olhar, Kaoru cruza os braços e fita o homem. Sem entender direito o que está se passando, a prostituta com o rosto machucado olha para os dois, preocupada.

O homem finalmente pega o capacete, coloca-o na cabeça e, fazendo um sinal com a mão, pede para a garota subir na traseira da moto. A garota segura sua jaqueta com ambas as mãos. Volta-se para trás e olha Mari e Kaoru. Depois olha para Mari mais uma vez. A garota parece querer falar alguma coisa para ela, mas acaba desistindo. O homem dá uma pisada forte no pedal, gira o acelerador e se vai. Em plena madrugada, o barulho do escapamento ressoa intenso e grave pelas ruas. No local, estão apenas Kaoru e Mari. Kaoru agacha e começa a pegar cada nota caída no chão. Arruma-as de modo que fiquem todas voltadas para o mesmo lado, dobra-as ao meio e enfia o maço no bolso. Respira fundo e coça os cabelos curtos e loiros com a palma da mão.

— É cada um que me aparece! — diz ela, indignada.

4

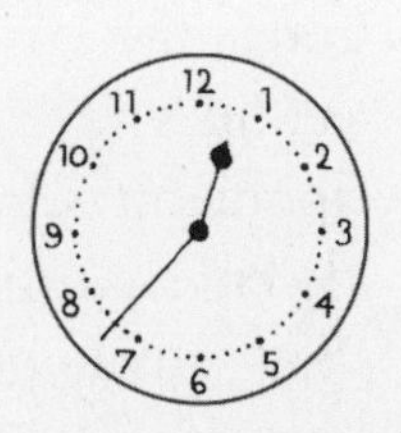

Quarto de Eri Asai.

Nada mudou aqui dentro. A não ser pela imagem do homem sentado na cadeira estar em close-up. Agora, podemos observá-lo melhor, apesar de a qualidade da imagem ficar prejudicada pelas repentinas interferências que oscilam e distorcem seus contornos. Essas interferências são acompanhadas de ruídos incômodos. Às vezes, surge outra imagem sem nexo, mas logo desaparece.

Eri Asai continua deitada em sua cama dormindo profundamente. Nem mesmo a luz artificial da TV sobre seu rosto, refletindo sombras que se movimentam, consegue perturbar-lhe o sono.

O homem da tela veste um conjunto de terno marrom-escuro. Esse terno deve ter sido muito bonito e causado boa impressão, mas agora só de olhá-lo percebemos que está bem gasto. Uma poeira esbranquiçada cobre partes das mangas e das costas. Ele calça sapatos de couro preto de bico redondo que também estão impregnados de pó. Será que veio de um lugar tão empoeirado assim? Ele veste camisa branca e sua gravata de lã é toda preta. Essas cores, igualmente gastas, parecem fatigadas. Os cabelos são grisalhos. Mentira; devem ser pretos, com camadas de poeira branca acumuladas sobre eles. Mas, seja como for, uma coisa é certa: faz muito tempo que seus cabelos não sabem o que é um pente. E o estranho é que esse homem, apesar disso, não nos dá a impressão de ser desleixado. E, tampouco, de ser pobre. A impressão que ele nos transmite é a de que passou por uma situação desagradável, inevitável, e, desde então, uma profunda exaustão se apoderou dele, assim como a poeira que foi se acumulando em suas roupas.

Não podemos ver-lhe o rosto. A imagem que a câmera da TV nos mostra é parcial: as costas e partes de seu corpo. Talvez isso tenha a ver com o ângulo de incidência da luz ou — quem sabe — seja até intencional seu rosto estar na penumbra, para que não possamos identificá-lo.

O homem não se move. Às vezes, respira bem fundo, pausadamente, e seus ombros acompanham a respiração subindo e descendo suavemente. Ele parece um refém que está há muito tempo confinado nesse quarto. E, mesmo sem estar amarrado ou preso, percebemos nele certo ar de conformismo, uma espécie de resignação. Limita-se a observar um determinado ponto à sua frente, mantendo-se sentado com as costas eretas e respirando pausadamente. Vendo-o assim, não saberemos dizer se é decisão dele não se mover, ou se existe algum outro motivo que realmente o impossibilite de fazê-lo. Suas mãos estão apoiadas nas coxas. As horas? Não sabemos. Perdemos a noção entre o dia e a noite. Mas, graças às lâmpadas fluorescentes instaladas no teto, o quarto está claro como uma tarde ensolarada de verão.

Enfim, a câmera se desloca para a frente do homem e nos mostra seu rosto. Mas, mesmo assim, não conseguimos identificá-lo. O mistério apenas aumenta, pois eis que uma máscara semitransparente encobre seu rosto. Na verdade, sentimos certa hesitação em chamá-la de máscara, pois de tão aderida ao rosto mais parece um filme plástico. No entanto, devemos admitir que, mesmo sendo fina, ela cumpre a sua função: a de máscara. Ela reflete o brilho tênue da luz e, ao mesmo tempo, oculta-lhe feições e expressões faciais. A única coisa que podemos fazer, mesmo que superficialmente, é imaginar os contornos de seu rosto. A máscara não tem orifícios para o nariz, a boca e os olhos. Mas nem por isso o homem parece ter dificuldades para respirar, ver ou ouvir. O material utilizado deve possuir excelentes propriedades de ventilação e permeabilidade. A observação externa dessa pseudoepiderme não nos permite identificar que tipo de material foi empregado, nem qual tecnologia. Ela é dotada de propriedades mágicas e funcionais. É um objeto que vem sendo transmitido desde a Antiguidade com as trevas, e ao mesmo tempo enviado do futuro, com a luz.

Porém, o verdadeiro mistério dessa máscara não se restringe ao fato de estar aderida ao rosto, mas ao de impossibilitar que alguém descubra o que a pessoa por detrás dela pensa, sente, planeja (ou não). Não há nenhuma pista para julgar se esse homem é uma pessoa boa, se é má; se seus pensamentos são corretos ou se são distorcidos; se a máscara serve para escondê-lo ou protegê-lo. A única coisa que podemos dizer é que alguém colocou-lhe essa magnífica pseudomáscara, fizeram-no sentar-se na cadeira para ser filmado pela câmera de TV e, como se isso não bastasse, impuseram-lhe também a condição de permanecer imóvel. Diante disso, resolvemos parar de tentar analisá-lo e optamos por aceitar essa condição. E, por isso, decidimos então chamá-lo de "homem sem rosto".

Agora a câmera se fixa num ponto. Posiciona-se à frente dele na altura do pescoço, num ângulo que capta seu rosto de baixo para cima. O homem de terno marrom mantém-se imóvel e, através do tubo da TV, seu olhar volta-se para o *lado de cá*, em direção à tela de vidro. Isso significa que, mesmo estando do *lado de lá*, ele enxerga o quarto em que estamos. É claro que seus olhos continuam ocultos pela misteriosa e magnífica máscara. Mas, mesmo assim, conseguimos captar claramente a existência e a profundidade desse olhar. Um olhar determinado e inabalável que observa algo que está à sua frente. Levando em consideração o ângulo de seu rosto, seu olhar direciona-se para a cama de Eri Asai. Atentamente, acompanhamos a linha traçada por esse suposto olhar. E é isso mesmo; não temos mais nenhuma dúvida: com seus olhos indefinidos, o homem da máscara observa Eri, que está do lado de cá, dormindo em sua cama. Ou, em outras palavras, podemos dizer que ele a observava desde o início. Até que enfim descobrimos uma coisa: a tela da TV é uma espécie de janela que se abre para o quarto do lado de cá.

De vez em quando, a imagem dá uma tremida e depois volta ao normal. Às vezes, o ruído também aumenta. Esse ruído eletrônico reage como sinais de ondas cerebrais amplificadas. A intensidade desses ruídos vai aumentando, aumentando até atingir um limite e, então, traça o caminho inverso num decrescendo, decrescendo, até que, finalmente, cessa. Tempos depois, como se mudasse de ideia, ruídos começam novamente a surgir. E isso se repete várias e várias vezes. Mas, independentemente disso, o olhar do "homem sem rosto" continua fixo e sua concentração, inabalável.

A linda garota continua dormindo na cama. Os cabelos de corte reto, lisos e pretos espalham-se sobre o travesseiro formando um leque profundamente significativo. Lábios estão delicadamente cerrados. Sua mente e seu coração encontram-se imersos nas profundezas do oceano. Quando a imagem da TV começa a tremeluzir, as luzes parecem bailar em seu rosto como símbolos enigmáticos.

O "homem sem rosto" continua a observá-la em silêncio, sentado numa cadeira de madeira, destas bem simples. De vez em quando, seus ombros fazem um leve movimento para cima e para baixo acompanhando o ritmo de sua respiração, como um barco sem tripulação a vagar sobre as ondas calmas do alvorecer.

No quarto, nada mais se move.

5

Mari e Kaoru caminham por uma rua estreita e pouco movimentada. As duas estão indo para outro lugar. Mari está com o boné azul-marinho do Boston Red Sox com a pala na altura dos olhos. Quando está assim, ela parece um rapaz. Talvez seja por isso que costuma carregar o boné.

— Que bom que você foi comigo! — diz Kaoru. — Eu já não sabia mais o que fazer.

Elas descem pela mesma escadaria que subiram há pouco para cortar caminho.

— Ah, se você tiver um tempinho, topa passar num lugar bem rapidinho? — sugere Kaoru.

— Passar num lugar?

— É que estou com sede e achei que uma cerveja bem geladinha ia cair bem. Que tal, hein?

— É que eu não bebo — respondeu Mari.

— Tome então um suco ou qualquer outra coisa. Afinal, você não ia mesmo ficar matando o tempo até o amanhecer?

As duas sentam-se no balcão de um pequeno bar. Não há nenhum outro cliente. Um disco antigo de Ben Webster está tocando. *My ideal*. É de 1950. Na prateleira, em vez de CDs, há uns cinquenta LPs, daqueles antigos. Kaoru toma o chope num copo de vidro alto. Em frente a Mari há um copo de Perrier com suco de lima. Atrás do balcão, o barman, um senhor de meia-idade, pica o gelo com destreza.

— Você não acha que ela era muito bonita? — pergunta Mari.

— Tá falando daquela chinesa?

— É.

— Acho sim! Mas, se continuar a levar esse tipo de vida, não conseguirá se manter bela por muito tempo. A pessoa acaba envelhecendo rápido. Verdade! Pode acreditar, já vi muitos casos assim.

— Mas aquela garota tem 19 anos, como eu.

— Quer saber? — diz Kaoru enquanto mastiga o amendoim servido de aperitivo. — Isso não tem nada a ver com a idade. É um trabalho bem puxado e não é qualquer um que aguenta, não, e quando começam a injetar coisas, aí é o fim.

Mari não diz nada.

— Você é universitária?

— Sou. Estudo chinês na Faculdade de Línguas Estrangeiras.

— Puxa! Faculdade de Línguas Estrangeiras... — repete Kaoru, admirada. — E o que você pretende fazer quando se formar?

— Se possível, gostaria de ser autônoma e trabalhar como tradutora ou intérprete. Acho que não tenho perfil para trabalhar em empresas.

— Tô vendo que você é muito inteligente!

— Não sou não. Mas, desde pequena, meus pais sempre me disseram que, por eu não ser bonita, deveria me destacar nos estudos, senão não teria nenhuma chance na vida.

Kaoru olha para Mari comprimindo um pouco os olhos.

— Mas você é bonitinha, sabia? Não estou te bajulando, não. É verdade! Quando alguém diz que uma pessoa é feia, elas estão se referindo a pessoas como eu, sabia?

Mari encolhe discretamente os ombros, meio sem jeito.

— Minha irmã é realmente muito bonita e sempre chamou muita atenção. Desde que éramos pequenas, as pessoas sempre comentavam: "Como duas irmãs podem ser tão diferentes?" Se as pessoas vivem comparando a gente, não tem jeito. Afinal, sou pequena, não tenho peito, meus cabelos são ondulados, tenho uma boca grandona e, ainda por cima, tenho miopia e astigmatismo.

Kaoru ri.

— Sabia que, normalmente, as pessoas chamam isso de "individualidade"?

— Mas eu não consigo me convencer disso. Ainda mais que não é de hoje que só ouço comentarem que sou feia.

— Então é por isso que resolveu se dedicar aos estudos?

— Em parte é. Mas nunca gostei de ficar competindo por notas. Ia mal nos esportes, tinha dificuldade de fazer amigos e, ainda por cima, era vítima dos valentões da escola. E, por essas e outras, quando estava na terceira série do primário não pude mais ir às aulas.

— Não foi mais pra escola?

— É que eu já não suportava mais ter que ir. Todas as manhãs, só de pensar nisso, eu vomitava tudo que comia ou ficava com uma tremenda dor de barriga.

— Puxa... Minhas notas eram péssimas, mas até que eu curtia ir pra escola. Se eu não fosse com a cara de alguém, seja lá quem fosse, eu lhe dava uma surra.

Mari sorri.

— Teria sido ótimo, se eu pudesse ter feito isso...

— Deixa pra lá! Isso não é algo de que se deva gabar perante a sociedade, não é mesmo? E depois, o que aconteceu?

— Tinha uma escola para crianças chinesas em Yokohama que minha amiga de infância frequentava. Essa amiga morava lá perto de casa. Nessa escola, metade das aulas eram em chinês e, ao contrário das escolas japonesas, não martirizavam a gente por questões de nota. Como minha amiga já estudava lá, eu também quis frequentá-la. É claro que meus pais foram contra, mas, se não fosse assim, não haveria outro jeito de eu ir para a escola...

— Você era bem teimosa, hein?

— Acho que sim — concorda Mari.

— Quer dizer que os japoneses eram aceitos nessa escola...

— Eram. Não havia nenhuma exigência quanto a cartas de recomendação ou coisas desse tipo.

— Mas, naquela época, você ainda não falava chinês, não é?

— Não. Ainda não falava nada! Mas como eu ainda era pequena, com a ajuda de minha amiga aprendi rapidinho. Enfim, não era uma escola rígida. Estudei lá do ensino fundamental ao médio. Em compensação, meus pais é que não estavam nada satisfeitos com aquela situação. Eles depositavam em mim toda expectativa de que eu viesse a cursar uma faculdade conceituada e me tornasse advogada ou médica. Digamos que, para eles, era como uma espécie de divisão funcional das filhas: uma seria a Branca de Neve e, a outra, um gênio.

— Sua irmã é tão bonita assim?

Mari confirma balançando levemente a cabeça e toma um gole de Perrier.

— Ela é modelo desde criança e sempre posou para revistas de patricinhas.

— Pu-u-u-xa! — exclama Kaoru. — Não deve ser fácil ter uma irmã assim tão lindona, hein?! Mas... Vamos mudar de assunto. Queria saber o que uma garota como você estava fazendo de noite, na cidade e, ainda por cima, sozinha.

— Como assim! Uma garota como eu?

— Bem, como eu poderia dizer... é que, à primeira vista, você parece uma *moça* muito *certinha*, sabe?

— É que eu não estava com vontade de voltar para casa.

— Você andou brigando com a família?

Mari discorda balançando a cabeça.

— Não é isso. Eu só queria ficar sozinha num lugar que não fosse em casa até amanhecer.

— Já fez isso antes?

Mari não responde.

— Sei que não é da minha conta, mas, falando sério, esta cidade não é um lugar adequado para uma garota como você ficar sozinha durante a noite. Tem uns caras perigosos rondando por aí. Até eu já me meti em algumas enrascadas. Fique sabendo que entre o último trem que parte e o primeiro que chega, este lugar se torna um pouco diferente do que é normalmente durante o dia.

Mari pega o boné do Boston Red Sox sobre a mesa e fica mexendo a aba. Ela está pensando alguma coisa. Mas resolve ignorar tais pensamentos.

E em tom calmo, mas categórico, retoma a palavra:

— Me desculpe. Mas será que poderíamos mudar de assunto?

Kaoru pega um punhado de amendoins e os coloca na boca.

— Claro! Podemos sim. Vamos falar de outra coisa.

Mari retira do bolso da jaqueta um maço de Camel com filtro e acende um cigarro com um isqueiro Bic.

— O quê? Você fuma? — pergunta Kaoru, um tanto admirada.

— Às vezes.

— Sinceramente, isso não combina com você.

Mari ruboriza e dá um sorriso sem graça.

— Posso pegar um? — pergunta Kaoru.

— Fique à vontade!

Kaoru põe o cigarro na boca e o acende com o isqueiro de Mari. Devemos admitir que Kaoru tem muito mais jeito de fumante que Mari.

— Você tem namorado?

Mari nega, balançando discretamente a cabeça.

— Ultimamente, não tenho muito interesse por homens.

— Você prefere mulheres?

— Não é isso... Sei lá!

Kaoru fuma seu cigarro, ouvindo a música. E, com o corpo relaxado, transparece em seu rosto um leve cansaço.

— Posso te perguntar uma coisa? — Mari retoma a conversa. — Por que o hotel se chama Alphaville?

— Hum... Por que será? Deve ter sido ideia do meu chefe. Normalmente, os nomes de motéis são esquisitos. Afinal de contas é apenas um lugar para o homem e a mulher fazerem "aquilo". Tendo cama e banheira, está tudo ok. Ninguém liga pro nome. Basta colocar um nome que combine com o negócio e pronto. Mas por que quer saber?

— Porque *Alphaville* é um de meus filmes favoritos. É de Jean-Luc Godard.

— Nunca ouvi falar.

— É um filme francês, bem antigo. Lá dos anos 60.

— Ah! Então ele deve ter tirado daí, né? Na próxima vez que o encontrar vou perguntar. E o que quer dizer Alphaville?

— É o nome de uma cidade imaginária do futuro — diz Mari. — É uma cidade que fica em algum lugar da Via Láctea.

— Então é um filme de ficção científica? Do tipo... *Guerra nas estrelas*?

— Não. Não é bem isso. Não tem efeitos especiais nem é de aventura... Não sei explicar direito, é um tipo de filme idealista. Preto e branco e com muitas falas. É como aqueles filmes exibidos em salas especiais. Por exemplo, em Alphaville, as pessoas que choram são presas e executadas em público.

— Por quê?

— Porque em Alphaville as pessoas não podem ter sentimentos profundos. E é por isso que nesse lugar não existe afetividade, conflito nem ironia. Tudo é resolvido na base de cálculos.

Kaoru franze a sobrancelha.

— Ironia? O que é isso?

— É quando uma pessoa consegue enxergar objetivamente a si própria, algo relacionado a ela, ou se enxergar de outras perspectivas encontrando motivos para rir de si mesma.

Kaoru pensa um pouco sobre a explicação de Mari.

— Não entendo muito bem o que você está dizendo, mas, afinal de contas, nessa tal Alphaville tem sexo?

— Tem.

— Só que o sexo é sem afeto e sem ironia.

— Isso mesmo.

Kaoru acha graça.

— Pensando bem, é um nome perfeito para um motel, não acha?

Um homem baixo, de meia-idade e bem-vestido entra no bar, senta-se na extremidade do balcão, pede um coquetel e fica conversando bem baixinho com o barman. Parece ser um cliente assíduo. Sempre o mesmo assento, sempre a mesma bebida. É dessas pessoas que vivem na madrugada da cidade; dessas que jamais poderemos dizer que se conhece o seu verdadeiro caráter.

— Kaoru, é verdade que você fazia luta livre feminina? — pergunta Mari.

— Pois é, lutei durante um bom tempo! Sempre fui grandona, boa de briga, e foi no colegial que um olheiro me descobriu e aí logo estreei e depois personifiquei a vilã. Tingi os cabelos de loiro, daqueles bem chamativos, raspei as sobrancelhas e fiz uma tatuagem de escorpião vermelho no ombro. Cheguei até a sair algumas vezes na TV, sabia? Também participei de campeonatos em Hong Kong e em Taiwan. Tive até um pequeno fã-clube regional. Você não assiste à luta livre de mulheres, não é mesmo?

— Nunca assisti.

— Ah! Não era uma vida fácil... No final das contas ferrei com minhas costas e tive que me aposentar aos 29 anos. Sempre fui violenta no ringue e acabei me ferrando. Pra tudo tem um limite. E eu nunca fui uma pessoa de meios-termos. Na ânsia de agradar aos torcedores, eu entrava na deles e exagerava. Hoje, por conta disso, nos períodos de chuva sinto minhas costas latejarem e, quando começam a doer, fico deitada e quietinha sem fazer absolutamente nada. É lamentável!

Kaoru vira a cabeça para um lado e outro fazendo seu pescoço estalar bem alto.

— Quando eu era famosa e ganhava muito dinheiro todos me mimavam, mas, quando parei de lutar, descobri que não tinha sobrado *nada*. Estava sem nenhum tostão. Tirando a casa que dei para meus pais que moram lá no interior, na província de Yamagata — que foi um gesto de amor filial do qual não me arrependo —, com o resto do dinheiro paguei dívidas de jogos de azar do meu irmão caçula, levei calotes de parentes que mal conhecia e, para piorar, de uma hora pra outra perdi o que sobrara num investimento furado que um bancário me indicou... E, quando fiquei completamente lisa, ninguém mais quis saber de mim. Fui parar no fundo do poço e foi nessa época que parei para pensar no que tinha feito durante esses dez anos da minha vida. Estava na casa dos trinta, meu corpo, em frangalhos, e o saldo de minha poupança, zerado. Estava tentando encontrar uma saída, pensando no que fazer dali pra diante, quando por intermédio do fã-clube conheci o meu atual chefe, que me convidou: "Que tal ser gerente de um motel?" Mas, como você já deve ter notado... sou um misto de gerente e segurança.

Kaoru toma o último gole de cerveja e dá uma olhada no relógio de pulso.

— Precisa voltar? — pergunta Mari.

— Esta hora é a mais tranquila de um motel. Os trens não circulam mais e a maioria dos hóspedes que está lá irá pernoitar. Não há muito o que fazer até de manhã. Legalmente, ainda estou no horário de trabalho, mas uma cervejinha só... Não faz mal, né?

— Você trabalha até de manhã e depois vai para casa?

— Na verdade tenho um apartamento alugado em Yoyogi, mas mesmo voltando pra lá não tenho nada pra fazer e ninguém me esperando, então quase sempre acabo dormindo lá no quarto dos fundos do motel. Quando acordo, começo a trabalhar. E você? O que vai fazer?

— Para matar o tempo, vou ficar lendo um livro por aí.

— Então... Se você quiser, pode ficar lá no motel, tá? Como hoje não está lotado, você pode ficar num dos quartos vagos. Sei que é um tanto melancólico ficar sozinha num quarto de motel, mas se for pra dormir ele é ótimo! A cama é das boas.

Mari recusa, balançando discretamente a cabeça:

— Muito obrigada! Não se preocupe, eu dou um jeito.

— Então está bem — responde Kaoru.

— O Takahashi está ensaiando por aqui? Com a banda?

— Ah! O Takahashi? Ele está no subsolo de um prédio aqui perto e vai ficar tocando até de manhã. Quer ir lá dar uma espiadinha? Se bem que lá é bem barulhento...

— Não. Não é isso. Só perguntei por perguntar.

— Hum. Mas fique sabendo que ele é um cara bem legal. Tem seus méritos. Por fora parece um idiota, mas por dentro ele é totalmente honesto e bondoso. Não é um cara ruim, não.

— Como foi que vocês se conheceram?

Kaoru aperta os lábios e dá uma leve entortada.

— Bem, é uma história muito engraçada, mas acho melhor você perguntar diretamente pra ele. Vai por mim, é melhor que ele te conte...

Kaoru paga a conta do bar.

— Você não vai levar bronca dos seus pais por passar a noite fora?

— Disse a eles que ia dormir na casa de uma amiga. Meus pais não ligam muito para mim. Não importa o que eu faça.

— Eles te dão essa liberdade porque confiam em você e reconhecem que é uma garota responsável.

Mari não faz nenhum comentário sobre isso.

— Mas às vezes nem sempre é assim, não é?

Mari faz uma leve contração no rosto, quase uma careta.

— Por que você acha isso?

— Bem, não é uma questão de achar ou não achar. São coisas que acontecem aos 19 anos. Eu, um dia, já tive 19 anos e sei disso.

Mari olha para Kaoru. Quer falar algo, mas, sem saber como se expressar, decide ficar quieta.

— Aqui perto tem um Skylark. Posso te levar até lá — oferece-se Kaoru. — O gerente é um amigão e vou pedir pra ele cuidar de você. Assim, você poderá ficar por lá até de manhã. Que tal, hein?

Mari concorda. O disco termina, a agulha da vitrola se levanta automaticamente e o braço volta ao suporte. O barman se aproxima do toca-discos para substituir o LP. Retira-o cuidadosamente e, sem nenhuma pressa, guarda-o dentro da capa. Em seguida, pega outro disco e, para conferir qual lado irá tocar, aproxima-o da luz. Após verificar o lado certo, encaixa-o no prato. Ao acionar o botão, a agulha se posiciona sobre o disco. Ouve-se um ruído bem sutil: é o contato da agulha na superfície. E, em questão de segundos, o ambiente é preenchido pela melodia *Sophisticated Lady*, de Duke Ellington. O solo de clarinete baixo, interpretado por Harry Carney, é pura sensualidade. A serenidade e a ausência de pressa do barman conferem ao ambiente um tempo que lhe é todo particular.

Mari pergunta ao barman:

— O senhor só toca LPs?

— Não gosto de CDs — responde o barman.

— Por quê?

— Porque são brilhantes demais.

— Por algum acaso você é um corvo? — Kaoru se intromete na conversa.

— Mas não dá trabalho ficar trocando os LPs? — pergunta Mari.

O barman sorri.

— Bom, estamos em plena madrugada. O trem só vai começar a circular de manhã. Para que a pressa?

— Não liga não, o tiozinho aqui é cheio de esquisitices! — Kaoru adverte.

— A madrugada tem seu ritmo particular de fluir no tempo — explica o barman. Ele risca um fósforo e acende um cigarro. — Não adianta remar contra a maré.

— Meu tio também tinha muitos discos — conta Mari. — Ele falava que não conseguia gostar de CDs. A maioria dos discos dele era de jazz. Toda vez que eu ia visitá-lo, ele colocava alguns para eu escutar. Naquela época, como eu ainda era pequena, não entendia bem a música, mas em compensação adorava sentir o cheiro das capas dos álbuns velhos e ouvir aquele barulhinho de fritura da agulha tocando o disco.

O barman concorda, apenas balançando a cabeça.

— Foi esse tio que me falou sobre o filme do Jean-Luc Godard — comenta Mari, voltando-se para Kaoru.

— Você se dava bem com esse seu tio, não é? — pergunta Kaoru.

— Até que sim — responde Mari. — Ele foi professor universitário e era também um donjuán. Três anos atrás, de repente, morreu vítima de problemas cardíacos...

O barman faz um convite a Mari:

— Quando tiver vontade, dê uma passadinha por aqui. Exceto domingo, começamos a funcionar a partir das 19 horas.

— Obrigada! — agradece ela.

Mari pega no balcão uma caixinha de fósforo com a propaganda do bar e a guarda no bolso da jaqueta. Depois, desce do tamborete. A agulha trilha os microssulcos do disco. A melodia de Ellington é delicada e sensual. É a música da madrugada.

Skylark. Um letreiro enorme de luzes neon. Pelo lado de fora da janela podemos enxergar o salão iluminado. Um grupo de moças e rapazes, possivelmente universitários, está sentado ao redor de uma mesa grande dando gargalhadas. Esse lugar está bem mais animado que o Denny's, onde estivemos há pouco. A densa escuridão da madrugada que envolve a cidade não consegue penetrar aqui.

Mari está lavando as mãos no banheiro. Ela já não está mais de boné. Nem de óculos. Do alto-falante instalado no teto ouve-se, bem baixinho, um antigo sucesso do Pet Shop Boys, *Jealousy*. Sua bolsa grande está no canto da pia. Ela lava cuidadosamente as mãos com o sabonete líquido à disposição dos clientes. É como se estivesse tentando tirar alguma coisa que grudou entre os dedos. De vez em quando, ela olha para a sua imagem refletida no espelho. Fecha a torneira, examina se os dez dedos estão limpos aproximando-os da luz e para secar as mãos esfrega ruidosamente o papel-toalha. Feito isso, aproxima-se do espelho. Encara o reflexo de seu rosto, com a expectativa de que algo possa acontecer. Quer observar tudo, qualquer mudança, por menor que seja. Nada acontece. Apoia as mãos na pia, fecha os olhos, começa a contar e, em seguida, os abre novamente. De novo, observa cuidadosamente o rosto. Não há nenhuma mudança.

Ela dá uma rápida ajeitada na parte da frente do cabelo com as mãos. Arruma o capuz do agasalho sobre a jaqueta esportiva. Depois, mordisca os lábios e balança a cabeça várias vezes para criar coragem. O reflexo no espelho igualmente mordisca os lábios e balança a cabeça várias vezes para criar coragem. Ela coloca a bolsa no ombro e sai do banheiro. A porta se fecha.

A câmera, que é o nosso ponto de vista, permanece por mais algum tempo no banheiro filmando o seu interior. Mari não se encontra mais nesse lugar. Não há mais ninguém: apenas a música vinda do alto-falante do teto. Este, agora, toca a música de Hall and Oates: *I Can't Go for That*. Mas, quando nossos olhos se voltam para o espelho, reparamos que a imagem de Mari ainda continua refletida nele. E ela está olhando para o lado de cá, de dentro do espelho. Está séria e parece aguardar algo acontecer. No entanto, do lado de cá, não há mais ninguém. Somente a imagem dela permanece no espelho do Skylark.

O entorno escurece gradativamente. E, ao som de *I Can't Go for That*, as trevas vão preenchendo o espaço.

6

Escritório do Hotel Alphaville. Kaoru está mal-humorada em frente ao computador. A imagem monitorada pela câmera de segurança instalada na entrada do hotel está sendo exibida na tela de cristal líquido. A imagem é perfeita. No canto da tela temos o horário. Kaoru compara alguns números anotados num papel e o horário indicado na tela, e com o mouse ora avança, ora interrompe a fita. Pela expressão de seu rosto parece que alguma coisa não está dando muito certo. De vez em quando, ela olha para o teto e suspira.

Komugui e Koorogui entram no escritório.

— O que você está fazendo? — pergunta Komugui.

— Que cara séria! — complementa Koorogui.

— É o DVD da câmera de segurança — responde Kaoru sem tirar os olhos da tela. — Se checarmos o horário, podemos descobrir quem foi o cara que bateu naquela garota, não é mesmo?

— Mas naquele horário entraram e saíram muitos clientes... Será que vai dar pra descobrir quem foi?

Os dedos grossos de Kaoru movem-se rápidos e desajeitados sobre o teclado.

— Todos os outros clientes eram casais e entraram juntos no motel. Mas, no caso desse cara, ele veio sozinho e ficou no quarto esperando a garota chegar. O horário em que ele pegou a chave do 404 na entrada do hotel foi 22h52. Quanto a isso, não temos dúvida. E, segundo a dona Sasaki, que estava na recepção naquela hora, a garota chegou uns dez minutos depois.

— Ah! Então é só achar o vídeo das 22h52, não é mesmo? — diz Komugui.

— Pois é! Mas, o problema é que não estou conseguindo fazer isso — reclama Kaoru. — É que eu não me dou bem com essas máquinas digitais!

— Nesse caso, a força física não resolve — diz Komugui.

— É isso aí.

— Acho que a Kaoru nasceu na época errada! — diz Koorogui, com uma expressão séria no rosto.

— Uns dois mil anos... — rebate Komugui.

— É, por aí — concorda Koorogui.

— Ei! Não precisam dizer assim tão abertamente, tá? — responde Kaoru. — Vocês também não entendem disso.

— Não entendemos, mesmo! — as duas respondem em coro.

Kaoru insere o horário na lacuna "localizar" e clica o mouse para obter a imagem, mas não dá certo. Deve estar fazendo alguma coisa errada. Ela estala a língua. Resolve apelar para o manual de instruções, mas, após algumas folheadas, não encontra o que quer e desiste, jogando-o na mesa.

— Puxa vida! Por que é que não está dando certo, hein? Fazendo isso, tinha que aparecer a imagem, mas por que será que não aparece? Se o Takahashi estivesse aqui, ele faria isso rapidinho.

— Mas Kaoru... Digamos que você descubra o rosto desse homem, e aí, o que vai fazer? Você não está pensando em denunciá-lo à polícia, está? — pergunta Komugui.

— Não é que eu queira me gabar, mas quero distância da polícia...

— Então, o que pretende fazer?

— Vou pensar nisso mais pra frente — responde Kaoru. — Mas, sabe como é... Do jeito que sou, não posso fazer vista grossa para esse cara malvado e deixar ele escapar assim... Um cara que espanca uma mulher frágil, rouba suas roupas e ainda por cima dá calote no motel! Um lixo de homem.

— Um cara com os testículos podres como esse aí não presta mesmo. Devia ser pego e espancado até quase morrer, não é mesmo? — diz Koorogui.

Kaoru concorda.

— Seria bom se isso acontecesse, mas acho improvável que ele faça a idiotice de voltar. Pelo menos por enquanto. E nós, por outro lado, não temos tempo para ficar por aí procurando por ele, não é mesmo?

— O que você vai fazer? — pergunta Komugui.

— Já não disse? Vou pensar nisso depois.

Kaoru dá um duplo clique num ícone qualquer com raiva e, segundos depois, aparece no monitor a imagem gravada às 22h48.

— Consegui!

Komugui exclama:

— Formidável! É tentando que se consegue.

Koorogui complementa:

— O computador deve ter ficado com medo dc você.

As três estão caladas olhando a tela. Acompanham a imagem de um casal jovem entrando no hotel às 22h50. Aparentam ser um casal de estudantes. Demonstram certo nervosismo. Param em frente ao painel dos quartos, ficam indecisos por algum tempo e, por fim, decidem pegar a chave do quarto 302. Depois, começam a andar de um lado para outro até encontrarem o elevador e entrarem nele.

Kaoru comenta:

— Este é o casal do quarto 302.

— Ah! O 302. Eles têm essas carinhas inocentes, mas são bem safados. Quando fui arrumar o quarto, de tanto que transaram, as coisas estavam todas fora do lugar — diz Komugui

Koorogui rebate:

— E o que é que tem? Deixa eles. São jovens, têm mais é que transar mesmo. É pra isso que eles vieram até aqui e pagaram, não é?

Komugui se justifica:

— Bem, eu sou jovem, mas ultimamente não tenho nenhuma vontade de transar.

— Komuguinha, isso é apenas falta de tesão — diz Koorogui.

— Será que é isso? — questiona Komugui.

— Ei, vocês aí, daqui a pouco é o cara do 404. Parem de falar bobagem e fiquem atentas.

O homem aparece na tela. Horário: 22h52.

Ele veste um casacão cinza-claro. Deve estar na casa dos quarenta. Usa gravata e sapato de couro. Veste-se como um assalariado qualquer. Tem óculos pequenos de aro dourado. Não está carregando nada e suas mãos estão nos bolsos. Sua altura, o tipo de corpo e o corte de cabelo são bem comuns. É do tipo que, ao caminhar pelas ruas, não chama nenhuma atenção.

— Esse cara é um tipo bem comum, não acham? — diz Komugui.

— Esses são os mais perigosos, sabia? — diz Kaoru, coçando o queixo. — São uns estressados.

O homem verifica o relógio de pulso e sem titubear pega a chave do quarto 404. Logo depois anda rapidamente em direção ao elevador. Sua imagem sai do foco da câmera. Kaoru para a fita bem aí.

Ela pergunta às outras duas:

— E então, vendo essas imagens, vocês perceberam alguma coisa?

— Ele parece um assalariado... — diz Komugui.

Kaoru a observa e balança a cabeça, indignada.

— Tá na cara que quem anda de terno e gravata nesse horário só pode ser um assalariado que está voltando para casa. Nem era preciso você me dizer isso.

— Desculpa — diz Komugui.

— Bem, acho que esse cara está acostumado a fazer isso — opina Koorogui. — Ele já conhece o lugar, não demonstra nenhum tipo de hesitação.

Kaoru concorda:

— Tem razão. Ele pega rapidamente a chave e, sem vacilar, vai para o elevador. Digamos que ele sabe exatamente onde fica o elevador, seus movimentos são precisos. Não fica olhando para os lados.

— Ou seja, ele é um cliente — diz Komugui.

— Pode ser. E da outra vez ele também deve ter pago por uma mulher — sugere Kaoru.

— Vai ver que ele é um especialista em mulheres chinesas — arrisca Komugui.

— Hum... Tem muitos caras por aí com esse tipo de tara. Mas, se ele é um assalariado e esteve por aqui antes, quer dizer que a probabilidade de ele trabalhar por perto é grande, não acham? — pergunta Kaoru.

— Acho que sim — concorda Komugui.

— E deve trabalhar durante a madrugada... — acrescenta Koorogui.

Kaoru olha com uma expressão de surpresa para Koorogui.

— Por que você acha isso? Pode ser que ele tenha trabalhado o dia inteiro, depois foi tomar uns tragos por aí, ficou animado e quis arrumar uma mulher.

— Mas é que ele não trouxe nada nas mãos. Deve ter deixado as coisas na empresa. Se fosse depois do trabalho, ele teria algo nas mãos. Uma pasta ou um envelope de documentos. Não existe funcionário que não carregue nada nas mãos para ir ou vir do trabalho. E, sendo assim, esse cara deve retornar à empresa e continuar a trabalhar. Foi isso o que me passou pela cabeça.

— Trabalha numa empresa durante a madrugada... — repete Komugui.

Koorogui continua a expor seu raciocínio:

— Há muitas pessoas que ficam nas firmas trabalhando de madrugada, sabiam? Principalmente nessas empresas de softwares. Quando todos terminam o serviço e vão embora, elas ficam sozinhas na empresa mexendo e remexendo no sistema. Quando todos ainda estão na empresa, não dá para desligar o sistema para que eles possam trabalhar. Por isso eles ficam fazendo hora extra até duas ou três da manhã e depois voltam para casa de táxi. Para esses tipos de funcionário, a empresa costuma liberar cupons de táxi.

— Puxa! Pensando bem, esse cara tem jeito de ser bitolado em computador, não é mesmo? Mas Koorogui, como é que você sabe tudo isso? — pergunta Komugui.

— Pode não parecer, mas acreditem: eu já trabalhei num escritório de uma empresa respeitável.

— Você tá falando sério? — pergunta Komugui.

— É claro! Na empresa, meu trabalho era sério. — responde ela.

— É mesmo? Mas então, por que é que você... — Komugui tenta continuar a conversa, mas Kaoru as interrompe com voz ríspida: — Ei, vocês aí, deem um tempo. Estamos resolvendo outra coisa agora. Esse tipo de assunto pessoal, cheio de detalhes, vocês bem que poderiam conversar numa outra hora, está bem?

— Desculpe — diz Komugui.

Kaoru olha para a tela e volta à cena das 22h52. Desta vez, passa a fita quadro a quadro até encontrar uma imagem em que possa identificar melhor o homem. Feito isso, ela dá uma pausa e vai ampliando gradativamente a imagem. Depois, imprime. O rosto sai impresso em cores, bem ampliado.

— Que legal! — exclama Komugui.

— E não é que isso é possível? É como no *Blade Runner*! — diz Koomugui, admirada.

— Que prático! Se pensarmos bem, esse mundo é realmente perigoso, não é? Desse jeito, não dá mais pra ficar entrando tranquilamente num motel... — diz Komugui.

— Tá vendo só? É por essas e outras que acho melhor vocês não ficarem por aí fazendo coisas erradas. Nos dias de hoje, nunca se sabe onde se tem uma câmera — aconselha Kaoru.

— O Céu sabe, o Inferno sabe e a câmera digital também sabe — conclui Komugui.

— Realmente, o melhor a fazer é tomar cuidado — concorda Koomugui.

Kaoru imprime mais cinco cópias da foto. As três observam atentamente o rosto do homem.

— A imagem está um pouco grosseira por eu ter ampliado muito, mas creio que dá para identificar o rosto do cara, não dá? — pergunta ela.

— Hum... Se eu passar por ele na rua, vou reconhccê-lo dircitinho — diz Komugui.

Kaoru vira o pescoço fazendo estalos e fica pensativa. Momentos depois, finalmente tem uma ideia.

— Meninas, depois que eu saí vocês usaram o telefone? — Kaoru pergunta para as duas.

Elas balançam a cabeça, dizendo que não.

— Eu não usei — confirma Komugui.

— Nem eu — diz Koorogui.

— Então ninguém apertou as teclas depois que aquela garota chinesa usou o telefone, é isso? — Kaoru se certifica da informação.

— Nem tocamos nele — reitera Komugui.

— Nem um dedo — acrescenta Koorogui.

Kaoru pega o telefone, respira fundo e aperta o botão de rediscagem.

Após dois toques de chamada, um homem atende. Fala rapidamente alguma coisa em chinês.

Kaoru diz:

— Olha! Aqui é do motel Alphaville e hoje, por volta das 23 horas, uma garota de vocês foi chamada para atender um cliente aqui e levou uma surra, não é? Eu tenho a foto desse cliente aqui comigo. É uma foto que tiramos da câmera de segurança. Será que vocês não querem ver essa foto?

Por alguns instantes, a pessoa do outro lado da linha não diz nada. Em seguida responde em japonês:

— Espera um pouco.

— Vou esperar... — diz Kaoru — o quanto você quiser.

Parece que estão conversando do outro lado da linha. Enquanto aguarda, ela mantém o fone no ouvido e, com a outra mão, pega uma caneta e a gira entre os dedos. Nesse meio-tempo, Komugui pega o cabo da vassoura e, fingindo que é um microfone, começa a cantarolar:

— Es-táa nee-vaan-dooo... E vooo-cê não veem... Vooou te es-pee-raaar... O quan-too vooo-cêe qui-seeer...

O homem retoma a ligação e pergunta:

— A foto, você tem aí com você?

— Acabou de sair do forno, ainda está quentinha — responde Kaoru.

— Como é que você descobriu este telefone?

— Os aparelhos eletrônicos de hoje são muito práticos, sabia? — responde Kaoru.

O homem fica em silêncio por algum tempo.

— Em dez minutos estarei aí.

— Pode deixar... Estarei na entrada te esperando.

Ele desliga o telefone. Kaoru faz uma careta e põe o fone no gancho. Novamente, ela gira o pescoço grosso fazendo estalos. O silêncio invade a sala. Komugui quebra o silêncio, meio cerimoniosa:

— Kaoru, você...

— O que é?

— Você está falando sério? Vai mesmo entregar essa foto pra ele?

— Eu não te disse que não consigo perdoar um cara capaz de surrar uma menina inocente? Também estou com raiva dele por ter dado calote no motel e, ainda por cima, não fui com a cara de assalariado pamonha que ele tem.

— Mas se os caras encontrarem esse homem, será que eles não vão amarrar uma pedra nele e jogá-lo na baía de Tóquio? Se você se envolver nisso vai ser uma fria.

Kaoru mantém a careta.

— Acho que eles não vão chegar a matar. Só sei que entre os chineses eles se matam mesmo, e a polícia não está nem aí. Mas, se um japonês honesto for morto, a conversa muda de figura. Aí sim a coisa se complica. Acho que eles só vão pegá-lo, dar um castigo merecido e quando muito devem cortar uma das orelhas...

— Ah, que dor! — exclama Komugui.

— Isso me lembra Van Gogh — diz Koorogui.

— Mas, Kaoru, você acha mesmo que com apenas essa foto eles conseguirão encontrar o cara? Esta cidade é grande — comenta Komugui.

— Esses caras, quando decidem fazer algo, nunca desistem. Num caso como esse, eles com certeza serão bem turrões. Afinal, não vão deixar qualquer um fazer eles de bobo. E tem mais: eles precisam dar o exemplo para as garotas e manter a honra entre os companheiros. Se você não tiver honra neste mundo, você não consegue se manter nele.

Kaoru pega um cigarro sobre a mesa e o acende com um palito de fósforo. Aperta levemente os lábios e, olhando para o monitor, solta a fumaça bem devagarzinho.

Em modo pausa temos o rosto do homem ampliado.

Passaram-se dez minutos. Kaoru e Komugui aguardam o chinês na entrada do motel. Kaoru está com a mesma jaqueta de couro e a touca preta de lã puxada até os olhos. Komugui veste um suéter grosso e grande. Ela parece sentir muito frio e segura firme o casaco na altura do peito. O homem na enorme motocicleta, o mesmo que veio buscar a garota, se aproxima. Ele para a moto a alguma distância de onde as duas estão. Como era de se esperar, não desliga o motor. Tira o capacete, coloca-o sobre o tanque e, cauteloso, tira a luva da mão direita. Ele a guarda no bolso e mantém a postura. Não faz menção de descer da moto. Kaoru caminha a passos largos até ele e lhe entrega três cópias impressas do rosto do cara. E diz:

— Ele deve ser um empregado que trabalha numa dessas empresas das redondezas. Deve trabalhar à noite e parece que já andou chamando outras garotas para vir aqui antes. É capaz de ser cliente de vocês.

O homem pega a foto e a observa por alguns segundos. Não demonstra estar muito interessado.

— E... — o homem diz olhando para Kaoru.

— E... o quê?

— Por que faz questão... de me dar a foto?

— Pensei que você gostaria de tê-la. Não quer?

O homem não responde. Abre o zíper da jaqueta e, dobrando as fotos ao meio, guarda-as dentro de um tipo de porta-documento preso a um cordão pendurado ao pescoço. Depois, fecha o zíper até o alto. Enquanto faz esse movimento, não tira os olhos de Kaoru. Em nenhum momento ele desvia o olhar.

O homem tenta descobrir o que Kaoru quer em troca dessa informação. Mas não faz nenhuma pergunta. Mantém a postura, quieto, aguardando a resposta. Kaoru está com os braços cruzados e o encara friamente. Ela também não arreda o pé. Eles trocam olhares hostis. Até que, finalmente, quando percebe que é a oportunidade de quebrar o silêncio, Kaoru dá uma expectorada e diz:

— Se vocês encontrarem o cara, você me avisa?

O homem segura o guidão com a mão esquerda, e a direita está apoiada no capacete.

— Se encontrar esse cara, avisar você? — o homem repete mecanicamente.

— É isso mesmo.

— É só avisar?

Kaoru confirma.

— É só dar um toque. Não quero saber o que vocês fizeram com ele.

O homem fica pensativo por um tempo. Depois, dá duas batidas leves no capacete com as mãos fechadas.

— Se encontrar, aviso.

— Estarei esperando — diz Kaoru. — Hoje em dia, vocês ainda cortam a orelha?

O homem desprende levemente os lábios.

— Vida, só temos uma vida. Orelhas, duas.

— Concordo com você, mas se perder uma orelha, não dá mais para usar óculos.

— É um transtorno — responde o homem.

A conversa termina aí. Ele coloca o capacete. Em seguida, engata a marcha no pedal, dá a partida e acelera.

Kaoru e Komugui permanecem por um tempo em silêncio observando a motocicleta partir.

— Parece um fantasma, não? — finalmente Komugui abre a boca.

— É hora de os fantasmas aparecerem — responde Kaoru.

— Que medo.

— Com certeza.

As duas entram no motel.

Kaoru está sozinha no escritório com os dois pés apoiados sobre a mesa. Observa novamente a foto. O rosto está ampliado. Ela resmunga bem baixinho e volta os olhos para o teto.

7

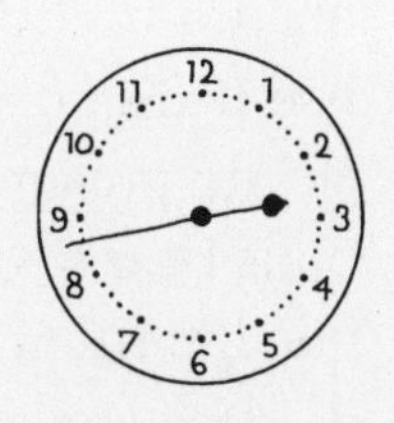

Um homem trabalha em frente à tela do computador. É aquele homem que foi filmado pela câmera de segurança do Hotel Alphaville. O mesmo que vestia um casacão cinza-claro e que pegou a chave do quarto 404. Ele digita sem tirar os olhos do monitor. É incrivelmente rápido. Seus dedos mal conseguem acompanhar a velocidade de seu pensamento. Os lábios estão ligeiramente fechados. Rosto inexpressivo. Não demonstra nenhuma reação de satisfação quando as coisas estão se encaminhando bem nem de insatisfação quando não estão. As mangas de sua camisa estão dobradas até o cotovelo, o botão da gola está desabotoado e o nó da gravata, frouxo. De vez em quando, pega um lápis e anota rapidamente alguns números e códigos numa caderneta ao lado do computador. O lápis é prateado, comprido e tem uma borracha na ponta. Nele está inscrito o nome da empresa: Veritech. Há outros seis lápis prateados dispostos cuidadosamente, lado a lado, sobre um porta-lápis retangular. Todos têm o mesmo comprimento. Todos estão tão perfeitamente apontados, e seria impossível deixá-los com a ponta mais fina.

É uma sala grande. Seus companheiros já foram embora e ele é o único que ficou no escritório para trabalhar. Um aparelho portátil de CD sobre a mesa toca uma música de Bach ao piano, em volume moderado. É uma *Suíte Inglesa* interpretada por Ivo Pogorelich. A sala está escura e somente sobre sua mesa é que as lâmpadas fluorescentes do teto estão acesas. Um cenário digno de um quadro de Edward Hopper com o tema "Solidão". Mas isso não significa que ele se sinta solitário. Pelo contrário, ele até prefere estar só, sem ninguém por perto. Assim, pode ficar sossegado ouvindo suas músicas preferidas sem que lhe tirem a concentração no trabalho. Não há dúvida de que ele gosta do trabalho. Pelo menos, enquanto está concentrado nele, não precisa se preocupar com os afazeres do dia a dia. E se o tempo dispensado não for motivo de queixa, todos os seus problemas são solucionados através da análise e da lógica. Sem desviar os olhos do monitor, trabalha ao som de Bach num estado semi-inconsciente; os dedos movem-se rapidamente sobre o teclado como os de Pogorelich ao piano. Não há nenhum desperdício em seus movimentos. Nesse lugar existe apenas a primorosa música do século XVIII, ele e um problema técnico a ser solucionado.

A única coisa que parece incomodá-lo é uma dor que, de vez em quando, sente na mão direita. Quando isso acontece, ele interrompe a tarefa, começa a abrir e fechar a mão várias vezes e gira o pulso. Depois, massageia o dorso com a outra mão, respira fundo e olha para o relógio de pulso. Esboça uma leve careta. Por causa dessa dor seu trabalho está atrasado, o que normalmente não costuma acontecer.

Suas roupas são limpas e asseadas. O modo de se vestir não tem personalidade nem tampouco revela um gosto refinado, mas percebe-se que ele é muito cuidadoso na escolha dos trajes. E devemos admitir que tem bom gosto. Tanto a camisa quanto a gravata são caras. Devem ser de marca. Ele parece ser inteligente e de boa família. O relógio de pulseira fina que usa no pulso esquerdo é elegante e de qualidade. Os óculos são Armani. As mãos são grandes e os dedos, compridos. As unhas estão asseadas e bem-cuidadas e, no dedo anular, usa uma aliança de casamento bem fininha. Sua aparência nada tem de especial, mas certos detalhes de expressão revelam uma personalidade forte. Deve estar na casa dos 40 e pelo menos no rosto e na área do pescoço não tem ainda nenhum sinal de flacidez. Sua aparência nos dá a impressão de um quarto bem-arrumado. Não parece ser o tipo de homem que contrata uma prostituta chinesa num motel. E, ainda por cima, capaz de espancar covardemente uma prostituta, tirar-lhe a roupa e levar todos os seus pertences. Mas a verdade é que ele fez isso e *não tinha como não deixar de fazê-lo.*

O telefone toca, mas ele não atende. Sem alterar a expressão do rosto, continua trabalhando na mesma velocidade. Deixa o telefone tocar. Seu foco continua inabalável. Após o quarto toque, a ligação cai na secretária eletrônica.

— Aqui é Shirakawa. No momento não posso atendê-lo, deixe seu recado após o sinal.

Som do sinal.

— Alô! — diz uma voz de mulher. A voz está baixa e desanimada; parece estar com sono: — Sou eu. Se estiver aí, poderia atender?

Com os olhos fixos na tela, Shirakawa pega o controle remoto que está ao alcance da mão e aciona o pause antes de atender a ligação. O telefone está programado para funcionar em viva-voz.

— Estou aqui — responde Shirakawa.

— Eu liguei um pouco antes, mas como você não atendeu achei que voltaria mais cedo pra casa — diz a voz feminina.

— Um pouco antes? Quando?

— Acho que era onze e alguma coisa. Deixei um recado...

Shirakawa dá uma olhada no telefone. É verdade, a luz vermelha da secretária eletrônica está piscando.

— Foi mal, não percebi. Estava concentrado no trabalho... — responde Shirakawa. — Você disse onze e pouco? Foi bem na hora que saí para comer alguma coisa. Depois, passei no Starbucks e tomei um *macchiato*. Você estava acordada?

Enquanto conversa, Shirakawa continua a digitar com as duas mãos.

— A princípio dormi às onze e meia, mas como tive um sonho ruim acabei acordando, e como você ainda não tinha voltado... E *o que foi*?

Shirakawa não entende a pergunta. Para de digitar e olha o telefone. As linhas dos cantos dos olhos ficam ligeiramente acentuadas:

— O que foi?

— É. O que foi que você comeu hoje?

— Ah! Comida chinesa. O de sempre! Alimenta e dá uma sensação de saciedade.

— Estava bom?

— Mais ou menos.

Ele olha novamente para o monitor e começa a digitar.

— E o trabalho?

— As coisas estão bem complicadas. Um cara meteu os pés pelas mãos por aqui... Se ninguém fizer nada até o amanhecer, não será possível fazer a reunião da manhã via internet.

— E esse *ninguém*, por um acaso, seria novamente você?

— Exatamente — responde Shirakawa. — Estou olhando ao redor e não vejo nenhuma outra pessoa...

— Até de manhã você consegue consertar?

— Claro! Afinal de contas sou um profissional de primeira e, mesmo nos meus piores dias, consigo acertar sempre na mosca. E tem mais, se amanhã de manhã a reunião for cancelada, nossa chance de comprar a Microsoft pode escorrer pelo ralo...

— A compra da Microsoft?

— Tô brincando! — diz Shirakawa. — Mas acho que vai demorar pelo menos mais uma hora. Assim que terminar, chamo um táxi e devo chegar lá pelas quatro e meia...

— A essa hora acho que já vou estar dormindo. Preciso acordar às seis para preparar o lanche das crianças.

— Quando você acordar, eu é que vou estar dormindo profundamente.

— E quando você acordar, estarei almoçando na empresa.

— E quando você voltar para casa, meu expediente estará começando.

— E por essas e outras, novamente, vamos nos desencontrar...

— Semana que vem devo voltar a trabalhar no horário normal. Alguns funcionários voltarão e o sistema recém-implantado já deve estar normalizado.

— Tem certeza?

— Creio que sim — responde Shirakawa.

— Se não me engano, no mês passado você disse a mesma coisa...

— Na verdade eu acabei de copiar e colar.

A esposa solta um suspiro.

— Tomara que tudo dê certo. De vez em quando seria bom partilhar as refeições e dormir na mesma hora...

— Tem razão.

— Vê se não trabalha demais, está bem?

— Não se preocupe. Como sempre, vou dar uma bela tacada e acertar em cheio no buraco. Receberei uma salva de palmas e aí sim volto para casa.

— Tudo bem, então.

— Até...

— Ah! Só mais uma coisinha...

— Hum?

— Eu me sinto constrangida de pedir uma coisa para um profissional de primeira, mas será que na volta você poderia passar em alguma loja de conveniência e comprar leite? Se tiver, traga o leite desnatado da Takanashi. Só se tiver, tá?

— Pode deixar. É só isso? Então tudo bem, uma caixa de leite desnatado da Takanashi.

Shirakawa desliga o telefone. Olha o relógio de pulso e se certifica do horário. Pega a caneca sobre a mesa e toma um gole de café já frio. Na caneca há uma logomarca: "Intel Inside." Ele aperta a tecla play do CD e, acompanhando a melodia de Bach, começa a abrir e fechar a mão direita. Respira fundo e enche os pulmões de ar. Depois, muda a conexão mental e volta a se concentrar no trabalho. Novamente se depara com seu problema mais importante: descobrir a menor distância compatível entre o ponto A e o ponto B.

Estamos na loja de conveniência. Várias embalagens de leite desnatado da Takanashi estão dispostas numa prateleira refrigerada. Takahashi assovia bem baixinho o tema de *Five Spot After Dark* enquanto examina as embalagens. Ele não está carregando seus pertences. Estica o braço, pega um pacote de leite mas, assim que percebe que é desnatado, faz uma careta. Para ele, isso é uma questão intrinsecamente relacionada aos seus princípios morais. Não se trata apenas de o leite ter muita ou pouca gordura em sua composição. Ele o devolve à gôndola e pega o leite comum que está ao lado. Verifica o prazo de validade e o coloca em sua cesta de compra.

Em seguida, dirige-se à gôndola das frutas. Pega uma maçã. Examina minuciosamente todos os seus ângulos sob o brilho da luz. Ela também não o agradou. Devolve-a e pega outra, novamente a analisa cuidadosamente. Repete isso várias e várias vezes até encontrar uma melhorzinha, o que não significa que ele a aprovou de verdade. Parece que, para ele, o leite e a maçã possuem um significado especial. Takahashi caminha em direção ao caixa, mas no trajeto seus olhos fixam-se no pacote de *hanpen* — bolinhos de farinha de peixe — acondicionados em embalagem plástica. Ele pega um, verifica o prazo de validade impresso no canto e o coloca na cesta. Paga as compras no caixa, enfia as moedas do troco no bolso da calça e deixa a loja de conveniência.

Senta-se no *guard-rail* e limpa a maçã com a barra da camisa, esfregando-a cuidadosamente. A temperatura está mais baixa e o ar que expira está esbranquiçado. Toma o leite praticamente em um só gole e, então, dá uma mordida na maçã. Enquanto está pensando, ele a mastiga bem, tão bem que com certeza levará muito tempo para comer. Quando finalmente come toda a maçã, limpa a boca com um lenço amarfanhado. Coloca numa sacola de plástico o frasco vazio de leite e os restos da maçã e vai jogá-la no lixo em frente à loja de conveniência. Verifica as horas no seu Swatch cor de laranja e faz um alongamento esticando os dois braços para o alto.

Logo depois, sai caminhando em uma certa direção.

8

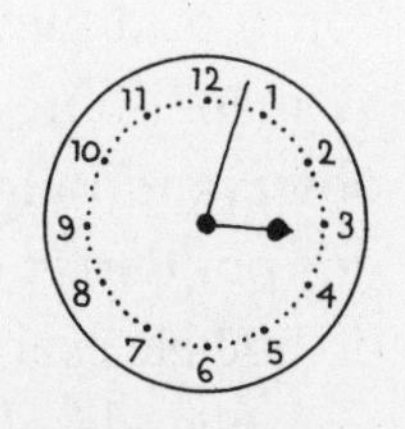

Nosso olhar retorna para o quarto de Eri Asai. Observamos ao redor e, à primeira vista, o aposento está como antes. Constatamos que, com o passar do tempo, aprofundou-se a noite, e o silêncio tornou-se ainda mais denso.

Não. Não é isso. Alguma coisa mudou... Dentro do quarto ocorreu uma *grande* mudança.

Logo percebemos a diferença. A cama está vazia. Eri Asai não está mais nela. E apesar de o edredom não ter sido usado, não nos parece que ela tenha acordado, se levantado e saído do quarto durante nossa ausência. A cama está arrumada. Não há nenhum vestígio de que Eri esteve dormindo aí. Mistério. O que será que aconteceu?

Olhamos ao redor.

A televisão continua ligada. Ela transmite a imagem daquele quarto que acabamos de ver. Um quarto amplo e sem mobília. Aquele das lâmpadas fluorescentes e assoalho de linóleo. No entanto, é inacreditável como agora a imagem está perfeita. Não há ruídos e os contornos estão nítidos, sem nenhuma distorção. A corrente elétrica está passando — seja onde for — sem sofrer oscilações. Assim como o brilho do luar banha a relva inabitada, a luz emitida pela TV ilumina o quarto. Todas as coisas, sem exceção, estão expostas em maior ou menor grau a esse campo magnético.

A tela da TV. O "homem sem rosto" continua sentado na cadeira. Terno marrom, sapato de couro preto, poeira branca e máscara aderida ao rosto. Sua postura continua a mesma. Ele está sentado com as costas eretas, as mãos sobre as coxas e o corpo levemente inclinado, observando algo à sua frente. Seus olhos estão escondidos por detrás da máscara. No entanto, temos a sensação de que ele está fitando atentamente alguma coisa. O que será que ele olha assim, tão detidamente? Nisso, como que atendendo a nossa curiosidade, a câmera se move lentamente na direção que seus olhos estão traçando. E, no final do percurso, encontramos uma cama. Uma cama de solteiro simples e de madeira e, nela, Eri Asai dorme.

Comparamos a cama do lado de cá com a da TV. Uma comparação detalhada, parte por parte. Constatamos que são a mesma cama. As mesmas roupas de cama. No entanto, uma delas está dentro da tela e a outra, no quarto do lado de cá. E é na cama de dentro da TV que Eri Asai dorme.

Para nós, a cama do outro lado é a verdadeira. Ela deve ter sido transportada para lá com Eri dormindo, enquanto nos ausentamos durante as cerca de duas horas. Do lado de cá temos apenas uma cama substituta. É como se ela fosse um *símbolo* a preencher o espaço vazio.

Sobre a cama transportada para o outro mundo, Eri continua a dormir profundamente como do lado de cá. Igualmente linda; igualmente maravilhosa. Ela não percebeu que alguém a carregou (ou seria melhor dizer que alguém carregou seu corpo) para dentro da TV. As luzes ofuscantes das lâmpadas fluorescentes do teto não conseguem penetrar nas profundezas oceânicas de seu sono.

O homem sem rosto está cuidando de Eri, observando-a através de seus olhos ocultos pela máscara. Os ouvidos, também escondidos, parecem diligentemente atentos nela. Tanto o homem sem rosto quanto Eri resguardam as respectivas posições. Assim como os animais que se mimetizam, ambos diminuem a respiração, abaixam a temperatura do corpo, resguardam o silêncio, relaxam os músculos e bloqueiam as portas da consciência. O que estamos vendo parece, à primeira vista, uma imagem estática, mas na verdade não é. Trata-se de uma imagem viva transmitida em tempo real. O tempo de lá e o de cá estão sincronizados. Ambos coexistem num mesmo plano temporal. Podemos afirmar isso ao constatar que os ombros do homem sem rosto movimentam-se para cima e para baixo casualmente. Independentemente de quais sejam as razões, nós fluímos com eles na mesma velocidade rumo à jusante do rio do tempo.

9

Dentro do salão do Skylark. Há bem menos clientes do que da última vez em que aqui estivemos. Estão espalhados pelo recinto. O grupo de estudantes que fazia algazarra já foi embora. Mari está sentada ao lado da janela e, como era de se esperar, lê um livro. Não está usando os óculos e seu boné está sobre a mesa. A bolsa e a jaqueta foram acomodadas na cadeira ao lado. Um prato com minissanduíches cortados em quadrados e uma xícara de chá de ervas estão sobre a mesa. No prato sobraram apenas alguns sanduíches.

Takahashi entra no salão. Não carrega nada nas mãos. Ele dá uma olhada ao redor e, assim que encontra Mari, aproxima-se dela.

— E aí? — diz ele, descontraído.

Mari levanta o rosto e, ao reconhecê-lo, acena discretamente a cabeça, sem dizer nada.

— Se não for te atrapalhar, posso me sentar um pouquinho aqui?

— Fique à vontade — Mari responde com naturalidade.

Takahashi se senta à sua frente. Tira o casaco e enrola as mangas do suéter para cima. A garçonete se aproxima para anotar o pedido. Ele pede um café.

Em seguida, olha o relógio de pulso.

— São três da madrugada. É a hora mais escura e mais difícil da noite. Você não está com sono?

— Na verdade, não — responde Mari.

— Dormi muito pouco ontem à noite. Fiquei fazendo um relatório muito difícil.

Mari não faz nenhum comentário.

— Foi a Kaoru que me disse que te encontraria aqui.

Mari balança a cabeça em sinal de aprovação.

Takahashi prossegue:

— Você me desculpa pelo que aconteceu? O caso da garota chinesa... É que a Kaoru me ligou durante o ensaio perguntando se algum de nós sabia falar chinês. Claro que ninguém sabia e aí me lembrei de você. Então, disse a ela pra ir até o Denny's procurar uma garota assim, assado, chamada Mari Asai, que falava fluentemente chinês. Espero que eu não tenha sido inconveniente.

Com a ponta do dedo, Mari dá uma coçadinha na marca deixada pelos óculos.

— Não se preocupe, está tudo bem.

— Kaoru estava me contando que você a ajudou muito. Estava muito agradecida. Acho que ela gostou muito de você.

Mari muda de assunto.

— E o ensaio? Já terminou?

— Estamos no intervalo — responde Takahashi. — Vim tomar um café para acordar, e também queria te agradecer. Fiquei preocupado achando que tivesse atrapalhado você...

— Atrapalhado em quê?

— Sei lá — responde Takahashi. — Alguma coisa ou *algo* que eu possa ter atrapalhado...

— É divertido tocar música? — pergunta Mari.

— Ahã. Tocar música é a segunda coisa mais divertida depois de voar no céu.

— Você já voou?

Takahashi abre um sorriso e o mantém por algum tempo.

— Não. Nunca voei — responde. — É apenas *um modo de dizer.*

— Pretende ser um músico profissional?

Ele balança a cabeça num gesto negativo.

— Quem me dera ser tão talentoso! Eu adoro tocar, mas viver disso não enche o prato. Entre "fazer algo bem-feito" e "criar alguma coisa de verdade" existe uma grande diferença. Acho até que toco bem. As pessoas me elogiam e é claro que fico contente. Mas é só isso. Por isso, no fim do mês pretendo deixar a banda e abandonar a vida de músico.

— O que exatamente você quer dizer com *criar alguma coisa de verdade*?

— Como posso explicar... Quando a música que você interpreta consegue tocar lá no fundo do coração das pessoas, tanto o corpo de quem toca quanto o de quem ouve, com sutileza, se desloca fisicamente. É conseguir criar esse verdadeiro estado de comunhão. Acho que é isso.

— Difícil, não?

— *Muito* difícil — Takahashi concorda. — É por isso que resolvi descer e pegar outro trem na próxima estação.

— Você não vai mais tocar trombone?

Suas mãos estão sobre a mesa. Ele vira as palmas para cima e, observando-as, diz:

— Acho que não.

— Vai arranjar algum emprego?

Takahashi novamente balança a cabeça num gesto negativo.

— Não. Não vou arranjar um emprego.

— O que pretende fazer, então? — pergunta Mari, depois de um tempo.

— Quero estudar Direito pra valer. Meu objetivo é passar no Exame Nacional de Habilitação para o Magistrado.

Mari não diz nada, mas essa conversa parece ter despertado sua curiosidade.

— Sei que isso vai levar tempo! — diz ele. — A princípio, estou cursando Direito, mas como até hoje eu só pensava na banda, só estudava o suficiente para passar. Por mais que, de agora em diante, eu me empenhe ao máximo nos estudos, não será nada fácil conquistar meu objetivo. A vida não é um mar de rosas, não é mesmo?

A garçonete traz o café. Takahashi coloca um pouco de creme e começa a misturar. Ouvimos o barulho da colher batendo na borda da xícara. Ele toma um gole. E então prossegue:

— Pra ser sincero, é a primeira vez na vida que eu tive realmente vontade de estudar alguma coisa *com seriedade.* Minhas notas na escola nunca foram ruins. O que não quer dizer que eram ótimas, mas digamos que também não eram tão ruins. Sempre anotava e assimilava os pontos mais importantes e por isso conseguia tirar notas razoavelmente boas. Sou bom nisso. E foi assim que consegui ingressar numa faculdade mais ou menos e, se eu continuar assim, acho que vou conseguir um emprego mais ou menos, numa empresa igualmente mais ou menos. Depois, vou fazer um casamento mais ou menos e ter uma casa mais ou menos... Não é mesmo? Foi então que passei a detestar tudo isso. De repente.

— Por quê? — pergunta Mari.

— Você quer saber por que, de repente, eu resolvi estudar pra valer?

— É.

Takahashi segura a xícara com as mãos e a fita, contraindo levemente os olhos. É como se estivesse espiando o interior de um quarto pela fresta de uma janela.

— Isso quer dizer que você está perguntando porque realmente quer ouvir a resposta?

— Claro que é. Se a gente pergunta é porque quer saber a resposta. Não é assim que funciona... Normalmente?

— Teoricamente, sim. Mas é que, às vezes, as pessoas perguntam apenas por delicadeza.

— Não estou entendendo. Por que você acha que eu te perguntaria alguma coisa só por delicadeza?

— É, acho que você tem razão. — Takahashi fica pensativo por algum tempo e depois coloca a xícara sobre o pires. Ouvimos um barulho seco. — Para te responder essa pergunta tenho uma versão longa e uma versão curta. Qual delas você prefere?

— A média.

— Está bem. Você quer a resposta numa versão média.

Mentalmente, Takahashi organiza depressa o que vai dizer.

— Este ano, entre abril e junho, fui ao tribunal várias vezes. No Tribunal Regional de Tóquio, em Kasumigaseki. Assisti a alguns julgamentos para depois fazer um relatório sobre isso. Era um dos temas propostos nos seminários. E... Por falar nisso, você já foi a um tribunal?

Mari balança a cabeça negativamente.

Takahashi continua:

— O tribunal é como um conjunto de salas de cinema. Logo na entrada tem um quadro com todos os inquéritos do dia e os horários do início de cada sessão. É como uma tabela de programação. Você escolhe o que te interessa e assiste. Qualquer um pode entrar. Só não pode levar câmera fotográfica e filmadora. Comida, também não. É proibido conversar. As poltronas são um pouco apertadas e, se você cochilar, um oficial pode vir chamar sua atenção. Mas, como se diz, quando se é de graça não se deve reclamar.

Takahashi faz uma breve pausa.

— Eu assistia principalmente aos processos criminais: lesão corporal e assalto, incêndio, roubo seguido de morte, coisas assim. Um cara malvado faz uma coisa malvada, é pego e levado a julgamento. É punido. Não seria mais fácil falar assim? Mas quando os crimes são financeiros ou ideológicos, os antecedentes tornam esses casos muito complexos. Fica difícil estabelecer a diferença entre o bem e o mal, e a coisa se complica ainda mais. Nessa época, a única preocupação que eu tinha era terminar logo o relatório, tirar uma nota mais ou menos e me livrar disso. É como aquele "diário de observação do crescimento da planta ipomeia" que a gente tinha que fazer durante as férias de verão do curso primário.

Takahashi faz uma breve pausa. Observa as palmas de suas mãos sobre a mesa.

— Mas sabe de uma coisa? Ao frequentar o tribunal e assistir a vários julgamentos, comecei a sentir um estranho interesse nos casos que estavam sendo julgados e nas pessoas envolvidas. É como se, pouco a pouco, eu não conseguisse mais acreditar que se tratava de terceiros. Me senti muito estranho. Afinal, quem está lá para ser julgado, queira ou não, é um outro tipo de pessoa, diferente de mim. São pessoas que vivem num mundo diferente, pensam diferente e agem de maneira diferente. Entre o mundo em que vivem essas pessoas e o mundo em que vivo há uma parede bem firme e alta. No começo, eu pensava assim. Afinal, a possibilidade de eu vir a cometer um crime hediondo é praticamente nula. Sou pacifista, altruísta e, desde criança, nunca bati em ninguém. Por isso, quando eu assistia aos julgamentos, me mantinha num pedestal, apenas como mero espectador. Como quem não tinha nada a ver com aquilo.

Ele levanta o rosto e olha para Mari. Escolhe cuidadosamente as palavras a serem ditas.

— Mas, indo ao tribunal e ouvindo os depoimentos dos envolvidos, as declarações dos promotores, os argumentos dos advogados e do próprio réu, fui perdendo a autoconfiança. O que estou querendo dizer é que comecei a pensar de outra forma: que, na verdade, não existe uma parede separando os dois mundos. E, mesmo que exista, esta parede seria tão fina e frágil como um papel machê. Só de encostar nela, ela se romperia e cairíamos do outro lado. Ou seja, pode ser que *o outro lado* já tenha se infiltrado do lado de cá, secretamente, e se encontre dentro de nós. Apenas não nos demos conta. Comecei a sentir isso. É difícil pôr em palavras esse sentimento.

Takahashi passa o dedo na borda da xícara.

— E, quando você começa a pensar assim, passa a ver as coisas de modo diferente. Para mim, o próprio sistema judiciário transformou-se num ser vivo especial e anômalo.

— Um ser vivo anômalo?

— É como se fosse um polvo. Um polvo gigante que mora nas profundezas do mar. Um polvo com uma força vital poderosa e com inúmeros e enormes tentáculos que serpenteiam pelo mar escuro. Enquanto assistia aos julgamentos, era inevitável fazer esse tipo de associação. Essa criatura pode assumir várias formas. Pode tomar a forma de uma "Nação" ou de "Leis". Há casos em que pode assumir formas ainda mais complexas e inconvenientes. Você pode cortar, cortar e cortar seus tentáculos, mas não adianta, rapidamente eles nascem de novo. Ninguém pode matá-la. Ela é forte e mora num local muito profundo. Não sabemos nem onde fica seu coração. O que senti naquela hora foi um profundo medo. Também me senti desesperado, só de pensar na impossibilidade de fugir para bem longe dela. Essa coisa não está nem aí para você ou para mim. Quando estão diante dela, as pessoas perdem a identidade e o rosto. Todos nós passamos a ser um código. A ser apenas um número.

Mari está com os olhos fixos nele.

Takahashi toma mais um gole de café.

— Você não acha que essa conversa está séria demais?

— Estou te ouvindo direitinho — responde Mari.

Takahashi coloca a xícara sobre o pires.

— Uns dois anos atrás, houve um caso de incêndio e assassinato no bairro de Tachikawa. Um homem matou um casal de idosos com um machado, roubou a caderneta de poupança do banco e o carimbo de registro pessoal. E, para destruir as evidências, ateou fogo na casa. Como naquela noite ventava muito, o fogo se alastrou rapidamente, atingindo outras quatro residências. Esse homem foi condenado à pena de morte. No atual sistema judiciário japonês, esta seria uma sentença bem lógica. Quando alguém mata duas ou mais pessoas, é quase certo que será condenado à morte. Por enforcamento. Nesse caso em particular, ele também provocou o incêndio. Não há dúvidas de que esse homem era um cara desprezível. Sempre foi violento e tinha algumas passagens pela polícia. A família já o tinha abandonado havia muito tempo e, por ser usuário de drogas, toda vez que ele era posto em liberdade cometia um crime. Ele não demonstra nenhum tipo de arrependimento. Se for recorrer da sentença, com certeza terá seu pedido totalmente negado. Isso porque o advogado, normalmente da defensoria pública, já sabe desde o início que é um caso perdido. É por isso que, quando o réu é condenado à morte, ninguém fica surpreso. Eu mesmo não fiquei. Quando o juiz proferiu a sentença, eu estava tomando notas e confesso que já esperava esse resultado. Após o julgamento peguei o metrô na estação Kasumigaseki, voltei para casa, sentei na minha escrivaninha, comecei a organizar as anotações que fiz lá no tribunal e, de repente, senti uma tremenda agonia. Como posso te explicar... Era como se, de repente, toda a energia elétrica do mundo abaixasse uma escala e tudo tivesse ficado um pouco mais escuro e mais frio. Meu corpo começou a tremer e não parava mais. Nisso, meus olhos se encheram de lágrimas. Por que será? Não sei explicar. Se foi aquele homem que foi condenado à morte, por que eu é que tinha que ficar desse jeito? Afinal de contas, esse cara não presta e não tinha mais recuperação. Entre ele e eu não pode existir nenhum ponto em comum. E, sabendo disso, por que será que esse caso me abalou tanto assim?

A indagação paira no ar durante alguns segundos. Mari aguarda a continuação.

Takahashi prossegue:

— O que estou tentando dizer é o seguinte: se uma pessoa — qualquer uma — for capturada por essa criatura que se parece um polvo gigante, ela será tragada pela escuridão. Não importam os argumentos, o resultado será sempre o mesmo espetáculo de intolerância.

Ele olha para o espaço vazio sobre a mesa e respira fundo.

— A partir desse momento, passei a ter uma nova prioridade: levar a sério meus estudos de Direito. Acho que é onde vou encontrar algo que estou buscando. Estudar Direito pode não ser tão divertido quanto tocar música, mas paciência! A vida é assim. E é assim que nos tornamos adultos.

Silêncio.

— Esta é a explicação de tamanho médio? — pergunta Mari.

Takahashi confirma balançando a cabeça.

— Acho que ficou um pouco longa, né? Mas é a primeira vez que falo disso com alguém e por isso tive certa dificuldade de adequar o tamanho da explicação...

Hum... Esses sanduíches que estão aí no prato, você não quer mais? Posso pegar um pedaço?

— Só sobrou o de atum...

— Tudo bem. Adoro atum. Você não gosta?

— Gosto. Mas é que quando se come atum, aumenta a concentração de mercúrio no corpo.

— É mesmo?

— Quando o mercúrio se acumula, a probabilidade de uma pessoa com mais de quarenta anos sofrer um ataque cardíaco é maior. Provoca também a queda de cabelo.

Takahashi faz uma expressão séria.

— Isso quer dizer: nada de frango, nada de atum?

Mari concorda balançando a cabeça.

— Justamente as duas coisas que adoro! — ele comenta.

— Sinto muito... — responde Mari.

— Ah! Gosto também de salada de batata. Será que isso também tem algum problema sério?

— Com a salada de batata acho que não há nenhum problema — responde ela. — A não ser o fato de engordar, se você comer em excesso.

— Engordar não é problema, sempre fui muito magro.

Takahashi pega um pedaço de sanduíche de atum e se delicia.

— E você pretende estudar até ser aprovado no Exame Nacional de Habilitação para o Magistrado? — pergunta Mari.

— É isso mesmo. Vou fazendo alguns bicos e durante um tempo acho que terei uma vida de pobre.

Mari está pensando em algo.

— Você já viu *Love Story*? É um filme bem antigo — pergunta Takahashi.

Mari diz que não.

Takahashi continua:

— Outro dia, estava passando na TV. É um filme muito divertido! Ryan O'Neal é o filho único de uma tradicional família de milionários que se casa com uma italiana de família pobre quando ainda é universitário e, por isso, é deserdado pela família. O pagamento das mensalidades também é cortado. E, enquanto o casal vive na pobreza, ele continua estudando na Faculdade de Direito de Harvard até conseguir se formar com excelentes notas e se tornar um advogado.

Takahashi faz uma pausa. E, em seguida, continua:

— A interpretação de Ryan O'Neal faz a pobreza tornar-se elegante. Há uma cena em que ele está com um suéter branco brincando com Ali MacGraw de atirar neve um no outro com a música romântica de Francis Lai ao fundo. Eu bem que poderia tentar fazer essa cena, mas acho que não ia ficar tão bom. Para mim, a pobreza é apenas pobreza. E acho que a neve também não ia se acumular como no filme.

Mari continua pensando em algo.

— E depois que Ryan O'Neal se torna advogado, após tanto sacrifício, ele consegue um emprego, mas nós, telespectadores, não somos informados de que tipo de trabalho ele consegue. A única informação quc temos é de que ele trabalha no melhor escritório de advocacia e ganha uma fortuna de causar inveja a qualquer um. Ele mora numa área supervalorizada de Manhattan, num apartamento luxuoso com porteiro e tudo. Fica sócio de um clube de ricaços e, quando sobra um tempinho, joga *squash* com seus amigos *yuppies*. E é isso.

Takahashi bebe a água do copo.

— E o que acontece depois? — pergunta Mari.

Takahashi direciona o olhar um pouco mais para cima enquanto tenta se lembrar.

— *Happy Ending.* Eles vivem felizes e saudáveis para sempre. O amor vence. É do tipo: sofremos no passado, mas agora tudo está perfeito! Eles andam de Jaguar, jogam *squash* e, no inverno, brincam de jogar neve um no outro. Por outro lado, o pai que o deserdou sofre de diabetes, cirrose hepática, síndrome de Menière e, em meio à solidão, acaba morrendo.

— Acho que não entendi. Em que parte essa história é divertida?

Takahashi inclina um pouco a cabeça para o lado.

— Bem. Onde era mesmo? Puxa! Não consigo me lembrar. É que eu tinha um compromisso e acabei não assistindo ao final da história direito... Que tal uma caminhada para espairecer? Conheço um parquinho aqui perto onde os gatos se reúnem. Vamos levar o resto desse "sanduíche de atum com mercúrio" e repartir entre eles? Trouxe uns bolinhos de peixe. Gosta de gatos?

Discretamente, Mari balança a cabeça, afirmativamente. Ela guarda o livro na bolsa e se levanta.

Os dois caminham pela calçada em silêncio. Takahashi está assoviando. Uma moto Honda preta, em baixa velocidade, passa ao lado deles. É a moto do chinês que buscou a garota no Alphaville. Aquele homem de rabo de cavalo. Agora ele está sem o capacete e observa atentamente ao redor. No entanto, não há nenhum ponto em comum entre esse homem e os dois. O barulho grave do motor se aproxima e passa por eles.

Mari pergunta para Takahashi:

— Como é que você e Kaoru se conheceram?

— Eu fiz um bico no motel durante uns seis meses. No Alphaville. Limpava o chão e fazia todo tipo de serviços gerais. Fora isso, mexia também no computador:

substituía os softwares e resolvia os problemas técnicos. Até cheguei a instalar a câmera de segurança, sabia? Lá só trabalham garotas e, por isso, como mão de obra masculina, muitas vezes fui tratado como uma preciosidade.

— O que o levou a trabalhar lá?

Takahashi fica um pouco sem graça.

— O que me levou?

— Alguma coisa deve ter acontecido, não é? — insiste Mari. — Kaoru desconversou quando esse assunto começou...

— É meio constrangedor, sabe?

Mari não diz nada.

— Ah, tudo bem — diz Takahashi, resignado. — A verdade é que eu entrei com uma garota naquele motel. Quero dizer, fui lá como cliente. Quando estava indo embora, percebi que não tinha dinheiro suficiente para pagar a conta. Mesmo juntando com o dinheiro que a garota tinha, não dava para cobrir a despesa. É que a gente tomou umas bebidas e, na hora, nem passou pela nossa cabeça as consequências disso. Não havia outro jeito, tive que deixar minha carteirinha de estudante.

Mari não faz nenhum comentário.

— É uma vergonha, não acha? — diz Takahashi. — No dia seguinte levei o restante do dinheiro. Aí Kaoru me convidou para tomar um chá e, conversa vai, conversa vem, ela acabou me convencendo a fazer um bico lá, começando no dia seguinte. Pode-se dizer que fui forçado a aceitar o emprego. O salário não era tão bom, mas em compensação eu não passava fome. Além do mais, conseguimos o local para a banda ensaiar graças à indicação dela. Ela pode parecer rude, mas é uma pessoa muito atenciosa com os outros. Até hoje, volta e meia, dou uma passadinha por lá. E, às vezes, ela me chama quando tem algum problema no computador.

— E o que é que aconteceu com essa garota?

— A que foi ao motel?

Mari assente com a cabeça.

— Foi só isso! — responde Takahashi. — Depois disso, nunca mais a vi. Ela deve ter ficado muito chateada. Que mancada, não é mesmo? Mas, como eu não gostava tanto assim dela, não me importei. E, mesmo que ficássemos juntos, mais cedo ou tarde ia acabar dando errado.

— Quer dizer que você fica levando as garotas de quem não gosta muito ao motel? Isto é, com frequência?

— É claro que não! Não estou com essa bola toda. Foi a primeira vez que entrei num motel.

Os dois continuam caminhando.

Takahashi tenta se justificar.

— E ainda por cima, naquele dia, nem fui eu que a convidou. Foi ela que se virou para mim e sugeriu que a gente fosse até lá. É verdade!

Mari não diz nada.

— Se eu for falar disso, a conversa será bem longa. É que há motivos para o ocorrido...

— Você é uma pessoa com muitos assuntos longos, não é?

— Acho que sim — reconhece. — Por que será, né?

Mari pergunta:

— Você tinha me dito que não tem irmãos.

— Ahã. Sou filho único.

— Se você estudou o segundo grau com a minha irmã, quer dizer que você tem residência fixa em Tóquio, não é? Então, por que você não mora com seus pais? Não seria mais fácil?

— Se eu for te explicar, a conversa será longa.

— Você não tem uma versão curta?

— Tenho. Uma que é bem curtinha — diz Takahashi. — Quer ouvir?

— Ahã — responde Mari.

— A minha mãe não é a minha mãe biológica.

— É por isso que vocês não se dão bem?

— Não. Não é que não nos damos bem. Sou um tipo de cara que evita confusões. E não quero ficar sentado na mesa de refeições batendo papo, sempre mostrando simpatia, entende? Não me importo nem um pouco em ficar sozinho. Além do mais, o relacionamento entre mim e meu pai não é lá muito amigável.

— Você quer dizer que vocês não se dão bem?

— É. Digamos que nossas personalidades são diferentes e que temos valores diferentes.

— O que seu pai faz?

Takahashi não responde e continua a caminhar calmamente olhando o chão. Mari também fica quieta.

— Pra falar a verdade, não sei direito o que ele faz — responde Takahashi. — Mas, seja lá o que for, tenho um palpite, quase uma certeza, a de que o que ele faz não deve ser algo digno de elogio. E depois, tem uma coisa que não costumo comentar com qualquer um: quando eu era pequeno, meu pai ficou preso por alguns anos. Ou seja, ele era uma pessoa antissocial, um criminoso. E isso também é um dos motivos de eu não querer ficar em casa. Fico preocupado com essa coisa de gene hereditário.

Mari faz uma expressão de quem está assustada:

— Essa é a versão *supercurta*? — e dá risada.

Takahashi a observa e comenta:

— É a primeira vez que você ri.

10

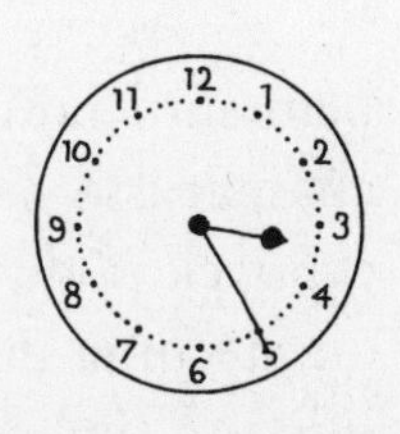

Eri Asai continua dormindo.

No entanto, o homem sem rosto, aquele que observava atentamente a face de Eri e que estava sentado numa cadeira no canto do quarto, não está mais ali. A cadeira também desapareceu sem deixar vestígios. Agora, o quarto parece ainda mais vazio e mais deserto do que antes. Há uma cama no meio do quarto e Eri está deitada nela. É como se estivesse sozinha num bote salva-vidas, à deriva, flutuando sobre um mar sereno. Nós estamos observando essa cena do lado de cá, isto é, do verdadeiro quarto de Eri, através da tela da TV. A câmera que está do outro lado é que capta a imagem e a transmite para o lado de cá. Periodicamente, há variações quanto à posição e ao ângulo de filmagem, que ora se aproxima, ora se distancia.

As horas passam e nada acontece. Ela não se move. Não emite nenhum som. Ela apenas flutua de costas sobre a superfície de um oceano de pensamentos puros, sem ondas ou correntezas. Mesmo assim, nossos olhos não conseguem desviar a atenção dessa imagem. Por que será? Não sabemos. No entanto, a intuição nos faz crer que do outro lado existe *alguma coisa*. Lá existe alguma coisa. Essa coisa não deixou indícios de sua existência ao submergir nas águas do oceano. E, no anseio de encontrar seu esconderijo — que não podemos ver —, nosso olhar observa atentamente a imagem sem movimento.

* * *

Agora parece que Eri Asai fez um movimento bem sutil no canto da boca. Não; talvez não possamos chamar isso de movimento. É um tremular quase imperceptível, pode ter sido apenas um bruxulear da imagem ou até uma ilusão de ótica. E, quem sabe, pode até ter sido um tipo de alucinação, motivada pelo desejo de mudança. Para averiguarmos isso, observamos ainda mais atentamente a imagem.

A lente da câmera se aproxima de Eri como se atendesse ao nosso desejo. Agora, seus lábios estão em primeiro plano. Controlamos a respiração e observamos atentamente a tela. Aguardamos, pacientemente, o que irá acontecer. Nisso, novamente os lábios se mexem: uma leve contração dos músculos. É isso mesmo, é o mesmo movimento visto antes. Não há dúvidas. Não se trata de ilusão de ótica. De fato, algo está acontecendo no corpo de Eri Asai.

Enquanto estamos do lado de cá observando passivamente a cena, aos poucos sentimos que nossa insatisfação aumenta. Queremos verificar, com nossos próprios olhos, o interior desse quarto. Queremos nos aproximar dela e ver de perto esse movimento sutil, esse indício de que a conscientização de Eri está se iniciando. Queremos fazer conjecturas, o mais concretamente possível, sobre o significado desses movimentos. Por isso, decidimos nos transferir para o outro lado da tela.

Isso não é tão difícil, quando a decisão já foi tomada. Basta distanciar-se do corpo, deixar para trás a substância e se transformar num *ponto de vista* conceitual, desprovido de matéria. Assim, somos capazes de transpor qualquer tipo de parede. Podemos também saltar qualquer tipo de abismo. E, na prática, nos tornamos um único e genuíno ponto capaz de atravessar a tela da TV que separa esses dois mundos. Nós nos deslocamos do mundo de cá para o mundo de lá. Quando transpomos a parede e saltamos o abismo, o mundo se contorce, abre fendas, desmorona e desaparece por alguns instantes. Tudo se transforma em minúsculas partículas de pó que se espalham por todos os lados. Depois, o mundo se reconstrói novamente. Um novo corpo nos envolve. Isso tudo acontece num piscar de olhos.

Agora, estamos do outro lado. Estamos dentro do quarto que víamos através da tela. Olhamos ao redor e averiguamos a situação. Sentimos um cheiro característico de um lugar que não passa por uma limpeza há muito tempo. A janela está fechada e por isso não há circulação de ar. Está frio e há um leve cheiro de mofo. O silêncio é tão profundo que chega a doer os ouvidos. Não há ninguém. Também não há nenhum indício de que alguém esteja escondido. E se alguém estava escondido, esse alguém já se foi. Aqui e agora, somos somente nós e Eri Asai.

Eri continua a dormir na cama de solteiro no centro do quarto. Reconhecemos a cama e, também, os lençóis. Aproximamo-nos de Eri e observamos de perto seu rosto. Examinamos cuidadosamente, sem pressa, os seus detalhes. Como já dissemos antes, a única coisa que podemos fazer — como um autêntico ponto dc vista — é observar. Observar, reunir informações e, se possível, julgar. Não nos é permitido tocá-la e nem mesmo conversar com ela. Não podemos sugerir, ainda que indiretamente, a nossa existência.

O rosto de Eri se movimenta novamente. É como um ato reflexo, semelhante ao que fazemos quando expulsamos um inseto que nos pousa na bochecha. Depois, a pálpebra direita começa a dar tremidinhas. As ondas de pensamento se agitam. No cantinho de sua consciência escura, minúsculos fragmentos vão se juntando a outros minúsculos fragmentos, silenciosamente, ligando-se uns aos outros num movimento que lembra a propagação das ondas. Estamos vendo isso acontecer na nossa frente. Verificamos que é dessa maneira que ocorre a formação de uma unidade. Em seguida, essa unidade liga-se a outra unidade até formar um sistema básico de autoconsciência. Em outras palavras, ela está gradativamente despertando.

A velocidade desse despertar é tão exageradamente lenta que nos impacientamos, mas esse processo não tem como retroceder. Apesar de o sistema se desorientar de vez em quando, ele continua avançando firme, passo a passo. O tempo de duração entre um movimento e o outro vai se tornando menor. Se, no início, o movimento muscular se restringia ao rosto, agora, com o passar do tempo, estende-se por todo o corpo. Num certo momento, os ombros começam a se movimentar lentamente para cima e para baixo e sua mão branca e pequenina fica exposta sobre a coberta. É a mão esquerda. Essa mão despertou um pouco antes da mão direita. Os dedos se descongelam, se desemaranham e começam a se mover desengonçados dentro de um novo conceito temporal à procura de algo. Logo em seguida, seus dedos movimentam-se por sobre a colcha e repousam em seu pequenino pescoço, como se fossem pequenos seres vivos autônomos. É como se ela, na dúvida, buscasse através do tato o sentido de seu próprio corpo.

Pouco tempo depois, seus olhos se abrem. Mas logo se fecham, ofuscados pelas lâmpadas fluorescentes do teto. A sua consciência parece rejeitar a ideia de ter de acordar. Ela quer dormir indefinidamente na branda escuridão misteriosa, rejeitando a existência de um mundo real. Por outro lado, as funções vitais de seu corpo dão provas claras de que quer acordar e deseja uma nova fonte de luz natural. Dentro dela existe um conflito, a luta entre duas forças antagônicas. Mas quem vence no final é a força que quer despertar. Os olhos mais uma vez se abrem lentamente, com certa hesitação. E, mesmo assim, a luz ofusca-lhe os olhos. O brilho das lâmpadas fluorescentes é muito forte. Ela levanta as mãos e cobre os olhos. Vira--se de lado e apoia o rosto sobre o travesseiro.

O tempo passa. Durante uns três ou quatro minutos, Eri Asai permanece na mesma posição, deitada de lado. Seus olhos continuam fechados. Será que ela dormiu de novo? Não, não é isso. Ela está aguardando sua consciência se adaptar nesse mundo do despertar. Assim como uma pessoa transferida para um quarto com diferença significativa de temperatura precisa de um tempo para que suas funções orgânicas se adaptem a esse novo local, aqui, também, o tempo possui um papel fundamental. Sua consciência admite que houve uma mudança significativa e que, mesmo a contragosto, precisa aceitá-la. Ela sente um leve enjoo. O estômago está contraído e ela tem a sensação de que alguma coisa está subindo pela garganta. Para amenizar essa sensação, começa a respirar fundo, várias vezes. Quando finalmente o enjoo passa, outras sensações desagradáveis começam a aparecer: formigamento nos braços e nas pernas, zumbidos nos ouvidos e dores musculares. Esses sintomas estão relacionados ao fato de ela ter dormido muito tempo na mesma posição.

O tempo continua passando.

Finalmente, ela se senta na cama e olha ao redor com um olhar vago. O quarto é bem amplo. Não há ninguém nele. "Que lugar é este? O que estou fazendo aqui?" Ela tenta se lembrar de alguma coisa. No entanto, suas lembranças são fragmentadas como fiozinhos de linha que facilmente se arrebentam. A única coisa de que ela parece ter certeza é que estava dormindo nesse lugar. "Sei disso porque estou na minha cama e de pijama. Esta é a minha cama e este é o meu pijama. Não tenho dúvidas.

Mas aqui *não é o meu lugar*. Sinto o meu corpo formigar. Se eu fiquei dormindo, deve ter sido por muito tempo e profundamente." No entanto, ela não faz ideia de quanto tempo ficou assim. Quando tenta pensar nisso, começa a sentir pontadas nas têmporas.

Decide sair de debaixo das cobertas. Apoia cuidadosamente os pés descalços no chão. Está de pijama. É um pijama azul sem estampas. O tecido é macio. Como o quarto está frio, ela pega o cobertor e envolve o pijama como uma capa. Tenta andar, mas não consegue dar nenhum passo à frente. Os músculos parecem ter esquecido como se anda. Com esforço, ela começa a caminhar, um passo de cada vez. O chão liso e revestido de linóleo a avalia e a interroga com frieza: "Quem é você? O que faz aqui?" Mas é claro que ela não tem respostas para essas perguntas.

Ela se aproxima da janela, apoia as mãos no peitoril e olha atentamente para fora, através do vidro. No entanto, lá fora não há nada que se possa chamar de paisagem. O que existe é apenas um conceito autenticamente abstrato, um espaço incolor. Ela esfrega os olhos, respira fundo e, novamente, olha para fora da janela. Mesmo assim, enxerga apenas um espaço vazio. Tenta abrir a janela, não consegue. Continua tentando abrir todas as outras janelas, uma a uma, mas nenhuma se abre. Todas parecem estar pregadas, o que as impede de serem abertas. Ela chega a pensar que talvez esteja num navio. Isso porque sente seu corpo balançar levemente. "Devo estar num navio grande. E as janelas devem estar fechadas para não serem invadidas pelas ondas." Apura os ouvidos tentando escutar algum barulho de máquinas ou o som do casco quebrando as ondas. A única coisa que ouve é a ressonância do silêncio.

Ela dá uma volta pelo quarto tocando a parede e testando os interruptores, sem pressa. Constata que mesmo levantando ou abaixando os interruptores, as lâmpadas fluorescentes do teto não se apagam. Não acontece nada. Há duas portas no quarto. Ambas com revestimento comum de madeira. Eri tenta mover uma das maçanetas, ela gira em falso. Em seguida, tenta empurrar e puxar a porta, mas ela não se move. Com a outra porta, ocorre o mesmo. Todas as portas e janelas do quarto parecem seres vivos e autônomos emitindo sinais de rejeição contra ela.

Agora, Eri começa a bater na porta, com toda força, com o punho fechado. Tem esperança de que alguém ouça as batidas e a abra pelo lado de fora. Mas, por mais forte que ela bata, o som é assustadoramente fraco. É tão fraco que ela própria mal consegue ouvi-lo. Desse jeito, ninguém (se é que há alguém lá fora) conseguirá ouvir as batidas. Está apenas machucando sua mão. Sente uma espécie de vertigem, que vem do fundo da cabeça. A sensação interna de balançar parece ter ficado mais forte.

Percebemos, então, que este quarto se assemelha ao escritório em que Shirakawa trabalhava na madrugada. É muito parecido. Talvez até seja o mesmo. No entanto, agora é apenas um quarto vazio. Não há mobília, equipamentos eletrônicos ou decoração. Tudo foi retirado, com exceção das lâmpadas fluorescentes do teto. Todas as coisas foram retiradas e quem saiu por último fechou a porta. Depois disso, a existência deste quarto foi sendo esquecida pelo mundo até afundar nas profundezas do mar. O silêncio absorvido pelas quatro paredes e o cheiro de mofo sugerem — a ela e a nós — a passagem do tempo.

Eri se agacha e se apoia na parede. Mantém os olhos fechados, em silêncio, aguardando a tontura e a sensação de balanço passarem. Finalmente os abre e pega alguma coisa no chão. É um lápis. Um lápis com uma borracha na ponta e onde se lê: Veritech. É prateado, igualzinho ao de Shirakawa. A ponta está gasta. Ela o segura entre os dedos e o observa por um longo tempo. Não se lembra desse nome: Veritech. "Será o nome de uma empresa? Ou de um produto?" Não sabe. Ela balança delicadamente a cabeça de um lado para outro. A não ser pelo lápis, não há mais nenhuma outra informação sobre o quarto.

Ela não consegue entender por que a deixaram sozinha nesse lugar. Um lugar desconhecido e que não faz ideia do que seja. "Quem me trouxe para cá, e por quê? Será que morri? Aqui é o mundo pós-morte?" Ela se senta na cama e avalia a possibilidade. Mas não consegue se convencer de que tenha morrido. O além não pode ser desse jeito. Se uma pessoa que morre fica sozinha e confinada num escritório vazio de um edifício comercial, significa que não existe mesmo salvação! "Será que estou sonhando? Não, não estou. As coisas são coerentes demais para ser um sonho. Os detalhes são concretos e nítidos. Eu posso tocar todas as coisas deste quarto." Ela pega a ponta do lápis e fura o dorso de sua mão certificando-se de que sente dor. Depois, começa a lamber a borracha para sentir o gosto.

E conclui que esse lugar é real. "Por algum motivo, esta é uma realidade diferente daquela que eu vivia. E, independentemente de onde eu vim e de quem foi que me trouxe aqui, o fato é que estou sozinha e abandonada, totalmente presa neste lugar sem paisagem, sem saídas e empoeirado. Será que enlouqueci e me trouxeram para algum tipo de clínica? Não. Não pode ser; seria um contrassenso alguém internar uma pessoa no hospital levando a própria cama, não seria? Para começo de conversa, este quarto não parece de hospital. Não parece, também, uma cela. Isso aqui... é apenas um quarto grande e vazio."

Ela volta para a cama e apalpa o cobertor. Também dá algumas batidinhas no travesseiro. E constata que tanto o cobertor quanto o travesseiro são comuns. Não são símbolos nem conceitos. É apenas um cobertor de verdade e um travesseiro de verdade. Estas coisas não oferecem nenhuma pista. Eri toca todo o seu rosto com a ponta dos dedos, de canto a canto. Apalpa seus seios sobre o pijama. Certifica-se de que ela é ela mesma, a de sempre: rosto bonito e seios bem-delineados. E pensa em devaneios: "Sou esse corpo, sou uma propriedade comercial." E, de repente, não tem mais certeza de que é ela mesma.

A vertigem passou, mas o balanço continua. Sente que uma parte do chão que a sustenta está sendo arrancada. O peso existente no interior de seu corpo desaparece e ele se transforma numa caverna. Os órgãos, a sensibilidade, os músculos e a memória, tudo que, até então, fazia com que ela fosse ela aos poucos e habilmente vai sendo retirado por alguém. Em decorrência disso, ela sabe que já não é mais nada, a não ser uma existência conveniente que só serve de passagem para as coisas exteriores. Um profundo sentimento de isolamento apodera-se dela, deixando-a totalmente arrepiada. Ela grita bem alto: "Não! Eu não quero que me transformem nisso!" Mas, apesar de achar que está gritando, na prática a voz que lhe sai da garganta é baixinha, um quase nada.

"Quero voltar a dormir profundamente!" — ela pede. "Seria tão bom dormir profundamente e, ao despertar, estar de volta à minha realidade!" Este é o único jeito encontrado por Eri de escapar do quarto. Não custa tentar. Mas não será tão fácil assim. Afinal, não faz muito tempo que ela despertou de um longo e profundo sono. Um sono tão profundo que a fez esquecer de sua própria realidade.

Ela prende o lápis prateado entre os dedos e o gira. A sensação lhe parece proporcionar uma remota expectativa de que poderá se lembrar de algo. Mas o que ela realmente sente na ponta dos dedos é apenas o infinito desejo de entender o seu coração. Sem querer, ela deixa cair o lápis no chão. Depois, deita-se de lado na cama, cobre-se e fecha os olhos.

Ela pensa que ninguém sabe que está lá. "Eu sei disso. *Sei que ninguém sabe que estou aqui.*"

Nós sabemos. Mas não temos o direito de nos envolver nisso.

Estamos olhando para baixo, observando Eri deitada na cama. Nós, como um ponto de vista, gradativamente nos distanciamos dela. Atravessamos o teto e continuamos a nos distanciar cada vez mais. Nos afastamos indefinidamente. Conforme nos distanciamos, a imagem de Eri vai se tornando cada vez menor até virar um pontinho e desaparecer por completo. Aumentamos nossa velocidade e continuamos a recuar cada vez mais, atravessando a estratosfera. A Terra vai ficando pequenina e por fim desaparece. O nosso ponto de vista continua recuando para os confins do Universo, atravessando o vazio do vácuo. Não podemos controlar esse movimento.

Quando nos damos conta, estamos de volta ao quarto de Eri. Não há ninguém na cama. Olhamos para a TV e nela vemos apenas uma tempestade de areia. Ouvimos o barulho de suas areias revoltas pelo vento. Ficamos observando essa tempestade, sem nenhum objetivo.

O quarto vai escurecendo gradativamente e rápido se perde a luz. A tempestade de areia desaparece. A mais completa escuridão se aproxima.

11

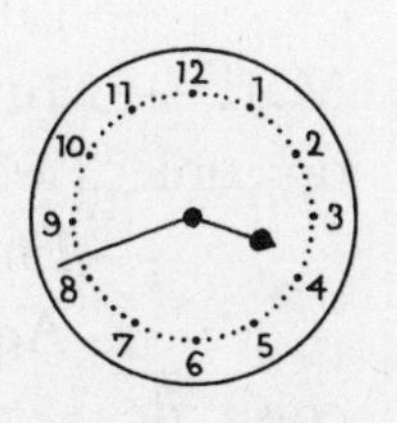

Mari e Takahashi estão sentados no banco da praça um ao lado do outro. É um parque pequeno e comprido que fica no centro da cidade. Perto dali, no canto de um conjunto residencial antigo, há uma área de lazer para as crianças, com balanços, gangorras e um bebedouro. A área é iluminada com lâmpadas de mercúrio. Árvores enegrecidas estendem seus enormes galhos que se entrelaçam entre si formando uma espécie de cobertura. As folhas caídas cobrem o chão e, ao caminhar sobre elas, ouvem-se pequenos estalidos. São quase quatro da manhã e no parque não há mais ninguém além dos dois. No céu, a lua branca de final de outono assemelha-se a uma espada afiada. Mari está com um gatinho branco no colo alimentando-o com o sanduíche que trouxe embrulhado no guardanapo. O gatinho está se deliciando com a comida. Enquanto ele come, ela acaricia delicadamente as suas costas. Alguns gatos observam a cena a distância.

— Quando eu trabalhava no Alphaville, nos meus horários de folga, eu costumava trazer comida e acariciar os gatos — disse Takahashi. — Como agora moro sozinho num apartamento e não posso ter gatos, às vezes sinto falta de fazer carinho neles.

— Na sua casa você tinha gatos? — pergunta Mari.

— Na falta de irmãos, o gato substituía.

— E cachorros? Você não gosta?

— Gosto. Até tive alguns. Mas ainda prefiro os gatos. É uma questão de gosto pessoal.

— Eu nunca tive cachorro nem gato — comenta Mari. — Minha irmã é alérgica a pelo de animal. Quando começa a espirrar, não para mais.

— Entendo.

— Aquela menina tem alergia a tudo quanto é coisa, desde pequena: pólen de cedro, erva-de-santiago, cavala, camarão, tinta fresca. E outras coisas mais...

— Tinta fresca? — Takahashi faz uma careta. — Nunca ouvi falar desse tipo de alergia.

— Mas é isso mesmo. Inclusive com sintomas de verdade.

— Que tipo de sintoma?

— Urticária e dificuldade de respirar. Os brônquios inflamam e, quando isso acontece, ela vai parar no hospital.

— Isso acontece toda vez que ela passa perto de tinta fresca?

— Nem sempre, mas às vezes.

— Mesmo que seja às vezes, é dureza, não?

Mari acaricia o gato, em silêncio.

— E você? — pergunta Takahashi, quebrando o silêncio.

— Se tenho alergia?

— É.

— Que eu saiba, não — responde Mari. — Nunca fiquei doente... É por isso que lá em casa minha irmã é a delicada Branca de Neve e eu sou a robusta pastora de ovelhas.

— Uma família não precisa de duas Brancas de Neve, não é mesmo?

Mari concorda meneando a cabeça.

— Mas acho que ser uma saudável pastora das montanhas também não é nada mau — diz Takahashi.

Mari fita seu rosto.

— Acho que as coisas não são tão simples assim.

— É claro que não são tão simples — concorda Takahashi — Sei disso... Puxa, você não acha que aqui está frio?

— Não. Para mim está tudo bem...

Mari pega mais um pedacinho de sanduíche de atum e oferece ao gatinho. Ele está faminto e come com muito gosto.

A princípio, Takahashi hesita se deve ou não falar sobre um assunto, mas por fim decide comentar:

— Pra falar a verdade, eu já conversei com sua irmã e batemos um longo papo só nós dois. Foi uma única vez.

Mari olha para ele.

— E quando foi isso?

— Acho que foi em abril deste ano. Numa tarde, quando passei lá na Tower Record para buscar uma encomenda, não é que dei de cara com a Eri Asai bem em frente da loja?! Eu estava sozinho e ela também. Ficamos um tempo conversando ali mesmo, em pé, mas chegou um ponto em que a conversa deslanchou e, então, resolvemos ir para uma cafeteria, perto dali. No começo, a conversa era bem casual. Sabe aquelas conversas típicas de dois estudantes do segundo grau que se encontram depois de um tempo? Aquelas conversinhas do tipo "que o fulano fez isso", "que beltrano fez aquilo"... Sabe como é? Mas depois ela sugeriu que fôssemos beber algo num outro lugar e aí a conversa começou a ficar cada vez mais pessoal. Bem, como posso dizer... Ela estava precisando desabafar muitas coisas.

— Assuntos *pessoais*?

— Isso mesmo.

Mari faz uma cara de quem não está entendendo muito bem.

— Por que será que ela quis falar disso *com você*? Sempre achei que vocês não eram tão íntimos assim.

— Você tem toda razão. Nós não somos e nunca fomos íntimos. A primeira vez que realmente conversei com ela foi naquele dia, lá na piscina do hotel. Isso faz dois anos. E, naquela ocasião, tenho lá minhas dúvidas se ela sabia o meu nome completo.

Em silêncio, Mari continua acariciando o gatinho que está no seu colo.

— Mas sabe o que eu acho? Acho que naquele dia ela precisava muito conversar com *alguém*. O certo seria procurar uma amiga para falar dessas coisas, mas, pensando bem, acho que sua irmã não deve ter uma amiga em que possa realmente confiar. É por isso que eu fui o escolhido; para substituir a falta dessa amiga. Foi apenas por acaso. Poderia ter sido qualquer um — diz Takahashi.

— Mas por que *você*? Pelo que sei, até hoje, nunca lhe faltaram amigos.

— Realmente, eles nunca devem ter faltado.

— Se é assim, por que será que ela confidenciou algo tão *pessoal* a alguém que encontrou por acaso no caminho e de que nem é tão amiga?

— É mesmo... — Takahashi para a fim de refletir. — Talvez seja porque pareço um cara inofensivo.

— Inofensivo?

— Do tipo em que você pode confiar momentaneamente, sem se sentir ameaçado.

— Não estou entendendo...

— O que eu quero dizer é... — Takahashi titubeia, um tanto constrangido. — Bem, sei que é uma coisa meio sem graça, mas é que normalmente me confundem com um gay. Vira e mexe, quando estou caminhando nas ruas, recebo cantada de homens desconhecidos que me convidam para sair.

— Mesmo não sendo verdade, né?

— Acho que não sou... Mas não é de hoje que as pessoas costumam se abrir comigo. Homem ou mulher.

Todos, desde pessoas que não são muito próximas, até aquelas que não conheço, acabam revelando segredos escabrosos para mim. Por que será? Eu mesmo nem faço questão de ouvir essas confissões, sabia?

Mari procura assimilar o que ele acabou de dizer e comenta:

— Quer dizer que Eri se abriu com você.

— Ahã. Se bem que não é bem se abrir, mas digamos que foi uma conversa *pessoal*.

— O quê, por exemplo? — pergunta Mari.

— Por exemplo... Deixe-me ver... Sobre a família.

— Sobre a família?

— É, por exemplo — diz Takahashi.

— E nessa conversa também estou incluída?

— Digamos que sim.

— Como?

Antes de responder, Takahashi pensa um pouco:

— Por exemplo... Sua irmã queria se aproximar mais de você.

— Queria se *aproximar* de mim?

— Ela sentia que você, propositalmente, tinha construído uma barreira entre vocês, depois de uma certa idade.

Mari envolve delicadamente o corpo do gatinho com as mãos e sente nas palmas o seu calor.

— Mas as pessoas podem se tornar amigas mesmo mantendo um certo distanciamento, não é? — retruca Mari.

— Claro — responde Takahashi —, claro que sim. Mas é que pode acontecer de uma determinada pessoa achar essa distância adequada, mas a outra não concordar.

Um gato grande e marrom se aproxima de Takahashi e começa a esfregar a cabeça em sua perna. Ele se curva e começa a acariciá-lo. Depois, pega do bolso o pacote de bolinhos de farinha de peixe, rasga a embalagem e dá a metade para o gato, que come tudo de uma vez.

— Era esse o problema *pessoal* que a Eri tinha? — pergunta Mari. — Quero dizer, que ela não conseguia se aproximar da irmã caçula?

— Esse era apenas *um* dos problemas. Tinha outros.

Mari não diz nada.

Takahashi retoma a conversa.

— Enquanto conversávamos, Eri tomava tudo quanto é remédio. Ela os carregava em sua bolsa Prada e os engolia com o Bloody Mary como se fossem amendoins de aperitivo. É claro que deviam ser remédios legalizados, mas, mesmo assim, tomar tantos deles não é normal, não.

— Ela é viciada em remédios. Isso não é de hoje e pelo jeito está piorando.

— Alguém precisa fazê-la parar.

Mari balança a cabeça, discordando.

— Remédios, adivinhações e dietas são coisas que ninguém conseguirá convencê-la a largar.

— Eu sugeri, meio que indiretamente, que ela deveria procurar a ajuda de um especialista. Como um terapeuta, ou psicólogo. Mas ela realmente não tinha nenhum interesse em buscar ajuda. Digamos que ela mesma não percebe que algo está acontecendo. E é por isso que, como posso dizer... Eu estava preocupado. Agora você entende por que eu perguntei sobre ela, não é?

Mari observa Takahashi, incomodada:

— Se era isso, você podia perfeitamente telefonar para ela, não acha? Isso se você estiver *realmente* preocupado.

Takahashi solta um breve suspiro.

— E de novo volto para aquela conversa que tivemos quando nos encontramos pela primeira vez esta noite. Eu ligo para sua casa, ela atende, e depois? Eu não sei o que devo falar, nem como agir.

— Mas no outro dia vocês não ficaram um tempão conversando e bebendo juntos? Não chegaram a conversar até de assuntos pessoais?

— É isso mesmo, mas por mais que se diga que *conversamos*, o fato é que naquele dia eu praticamente não falei nada. Ela é que ficava falando o tempo todo, enquanto eu emitia monossílabos ou concordava, balançando a cabeça. Acho que, na prática, não tenho como fazer algo por ela. E, pra ser sincero, acho que não saberia como ajudá-la. O que estou tentando dizer é que não poderei ajudá-la enquanto não tiver um conhecimento mais pessoal, mais profundo... Entende?

— E você não quer se envolver tanto.

— É por aí. Mas também é porque não me sinto capaz — diz Takahashi. Ele estica o braço e começa a coçar atrás da orelha do gato. — Digamos que não tenho competência.

— Ou, falando de um modo simples, você não tem tanto interesse em se envolver com ela, é isso?

— Bem, se é assim, posso dizer que Eri também não tem nenhum interesse em se envolver comigo. Como eu já disse, ela queria apenas alguém para conversar. Para ela, bastava que alguém ficasse ao seu lado ouvindo. Quando muito, eu era apenas uma parede com feições humanas.

— Mas, afinal de contas, você tem ou não interesse sincero e profundo pela Eri? Se for responder sim ou não...

Takahashi esfrega suavemente as palmas das mãos num gesto de quem está confuso. A questão é delicada. A resposta, muito difícil.

— Sim. Acho que tenho interesse pela Eri. Sua irmã possui uma luz natural. É alguma coisa especial que nasceu com ela. Por exemplo, quando nós estávamos bebendo e conversando com certa intimidade, todos ficavam olhando de atravessado, inconformados e se perguntando o que uma garota tão linda estaria fazendo com um cara sem graça como eu.

— Mas...

— Mas?

— Pense bem — disse Mari. — Eu te perguntei se "você tem algum interesse *profundo* pela Eri", certo? E você respondeu que tem "interesse". Você não disse a palavra *profundo*. Acho que você está deixando de me contar algo.

Takahashi fica admirado.

— Você é uma observadora e tanto.

Mari aguarda a resposta.

Takahashi hesita por um momento, pensando em como irá responder.

— Quando a gente fica muito tempo conversando frente a frente com ela, ah... não sei... A gente vai ficando com uma sensação muito estranha, sabe? No começo, não dá para perceber, mas com o tempo essa sensação vai ficando cada vez mais intensa. Como posso explicar... É como *não fazer parte deste lugar*, entende? Ela está bem na sua frente, mas ao mesmo tempo é como se estivesse lá longe, a quilômetros de distância.

Mari continua quieta. Mordisca levemente os lábios e aguarda a continuação da conversa. Takahashi leva um tempo procurando as palavras adequadas.

— Enfim, nada do que eu dissesse teria importância para ela porque minhas palavras nunca alcançariam sua consciência. É como se entre nós houvesse uma espécie de camada esponjosa transparente. Quando minhas palavras tentavam atravessar essa camada, sua essência era sugada. Na verdade, Eri não escutava nada do que era dito deste lado. Isso ficava muito claro no decorrer da conversa. E, por conta disso, o lado de cá também não conseguia ouvir direito o que ela estava falando. Era uma sensação muito estranha.

Quando o gatinho percebe que o sanduíche de atum acabou, ele contorce o corpo e pula do colo de Mari para o chão. Depois, vai embora correndo por entre os arbustos. Mari amassa o guardanapo que embrulhava o sanduíche e o enfia na bolsa. Esfrega rapidamente as mãos para limpar as migalhas de pão.

Takahashi a observa.

— Você entende o que estou querendo dizer?

— Acho que sim... — diz ela, e solta um suspiro. — O que você disse é muito parecido com o que sinto em relação a ela. Pelo menos nesses últimos anos.

— Isso de não ouvir direito o que se diz?

— É.

Takahashi distribui o restante dos bolinhos de farinha de peixe entre os gatos que o cercam. Os gatos, cautelosos, cheiram os bolinhos e começam a comer ruidosamente, excitados.

— Então... Se eu te fizer uma pergunta, você me responde com sinceridade? — pergunta Mari.

— Claro.

— Aquela garota que você levou ao Alphaville não seria por acaso minha irmã?

Takahashi se mostra surpreso, ergue o rosto e fita Mari. Seu olhar é de quem observa as ondas que se propagam na superfície de um pequeno lago.

— Por que você acha isso? — pergunta ele.

— Digamos que seja uma intuição. Não era?

— Não. Não era Eri. Era outra garota.

— Verdade?

— Verdade.

Mari fica pensativa por um momento.

— Posso te fazer mais uma pergunta? — diz ela.

— Claro.

— Digamos que você tenha ido com minha irmã nesse motel e tenham feito sexo, ok? É só uma hipótese...

— Uma hipótese...

— É. Uma hipótese. Digamos também que eu refaça a pergunta. "Você e minha irmã foram para esse motel e fizeram sexo, não é mesmo?" Uma hipótese...

— Uma hipótese...

— Se isso fosse verdade, você admitiria honestamente que "sim"?

Takahashi fica pensativo.

— Acho que não — responde. — Com certeza, diria que não.

— Por quê?

— Porque envolve a privacidade de sua irmã.

— Um tipo de sigilo profissional.

— Digamos que sim.

— Então não seria mais correto você dizer "não posso responder a essa pergunta", já que é sigilo profissional?

— Mas, com as opções dadas anteriormente, se eu disser "não posso responder a essa pergunta", não seria o mesmo que falar "sim"? Isso seria uma negligência intencional — diz Takahashi.

— Assim sendo, em todos os casos a resposta será sempre "não", é isso?

— Em tese...

Mari observa atentamente sua expressão.

— Bem, pra mim tanto faz você ter dormido ou não com minha irmã. Se era isso que queria...

— Acho que nem mesmo ela sabe o que quer. Podemos mudar de assunto? Afinal, tanto na teoria quanto na prática a garota que levei ao Alphaville não era Eri Asai.

Mari solta um leve suspiro. Guarda silêncio durante um tempo e retoma a conversa.

— Eu também acho que devia ter me aproximado mais de Eri — diz ela. — Senti isso quando tinha uns dez anos. Eu queria muito ser sua melhor amiga... É claro que eu a admirava. Mas, naquela época, ela vivia ocupada. Ela já trabalhava como modelo em revistas juvenis, tinha muitos ensaios e era paparicada por todos. Não tinha espaço para mim. Ou seja, quando eu precisava *disso*, Eri não tinha tempo para corresponder, entende?

Takahashi escuta atentamente o que Mari diz.

— Apesar de sermos irmãs e vivermos debaixo do mesmo teto, nossos mundos são totalmente diferentes. A refeição que comíamos, por exemplo, não havia nada em comum. Sabe aquelas inúmeras alergias que ela tem? Então... Por conta disso, ela sempre teve um cardápio diferenciado do resto da família.

Após um breve silêncio, Mari continua.

— Não estou dizendo isso para criticar, viu? Eu sempre achei que minha mãe exagerava nos mimos, mas hoje em dia não me importo mais. O que estou tentando dizer é que entre nós existe esse histórico, essas circunstâncias. E, a esta altura, dizer que ela quer se aproximar de mim é algo que, sinceramente, me deixa muito confusa, sem saber o que fazer. Você me entende?

— Acho que sim.

Mari se cala.

— Me lembrei de uma coisa que pensei enquanto conversava com ela — comenta Takahashi. — Achei que ela tinha um complexo em relação a você, e isso há um bom tempo.

— Complexo? — Mari repete. — Eri, em relação *a mim*?

— Isso mesmo.

— Não seria o contrário?

— Não, não seria o contrário.

— Por que você acha isso?

— É que, veja bem: você, mesmo sendo a irmã caçula, sempre soube exatamente o que queria. Quando não quer algo, diz claramente que não quer. Você foi conquistando as suas coisas passo a passo e do seu jeito, devagar e sempre. Mas Eri Asai não pôde fazer isso. Desde pequena, ela tinha que cumprir suas tarefas e agradar todo mundo que estava à sua volta. Como você mesma já disse, o papel dela é o de ser a linda Branca de Neve. Com certeza, ela deve ter sido muito paparicada, mas acredito que, em certas ocasiões, isso tenha sido *exaustivo* para ela. No período mais importante da vida, ela não construiu sua identidade. Se você acha que a palavra "complexo" é muito forte, digamos então que ela tinha "inveja" de você.

— Foi a Eri que te disse isso?

— Não. Eu apenas peguei alguns dados periféricos do que ela disse outro dia, juntei tudo e imaginei isso. Acho que não devo estar tão enganado assim.

— Acho que você está exagerando — retruca Mari. — Você tem razão quando diz que eu tenho uma vida mais independente do que a dela. Eu entendo. Mas, por conta disso, aqui estou eu, uma pessoa insignificante e fraca. Não tenho conhecimento e não sou muito inteligente. Também não sou bonita, e não tenho ninguém que sinta um carinho especial por mim. Com isso tudo acho que não posso dizer que consegui construir minha identidade, não é? Mesmo vivendo num mundo pequeno, vira e mexe sinto minhas pernas tremerem. Como Eri poderia invejar alguém assim?

— Digamos que você está num período de preparação. Os resultados não aparecem assim tão rapidamente. Talvez você seja do tipo que leva mais tempo.

— Aquela garota também tinha 19 anos — relembra Mari.

— Que garota?

— A garota chinesa que foi espancada por um desconhecido que arrancou suas roupas e a deixou nua, sangrando, lá no quarto do Alphaville. Era uma garota bonita. Mas, no mundo em que ela vive, não existe esse período de preparação. Ninguém vai ficar pensando se ela é do tipo que leva ou não tempo para se preparar para a vida, não é mesmo?

Takahashi concorda, sem se pronunciar.

— Logo que a vi pela primeira vez, tive muita vontade de ser sua amiga. Uma vontade muito forte. Se tivéssemos nos encontrado em outro lugar e em outra circunstância, com certeza seríamos amigas. E olha que é raro eu sentir isso por alguém. Aliás, não é difícil, é *completamente* impossível — diz Mari.

— Hum.

— Mas, por mais que eu pense assim, nossos mundos são muito diferentes. Tão diferentes que não dá para ignorar, por mais que eu tente.

— É. Acho que sim.

— Mas, sabe... Apesar do pouco tempo em que estivemos juntas, e do pouco que conversamos, sinto que aquela garota ocupa um espaço dentro de mim. É como se ela fizesse parte de mim. Não sei como explicar direito.

— Você consegue sentir a dor que ela sente.

— Acho quc é isso.

Takahashi pensa em algo. Em seguida, comenta:

— Tive uma ideia... Por que você não pensa da seguinte forma? Digamos que sua irmã esteja em algum lugar desconhecido, num outro Alphaville, e que alguém a esteja agredindo sem motivo. E ela se lamenta silenciosamente, derramando um sangue invisível.

— Em sentido figurado?

— É, como se fosse — diz Takahashi.

— Você teve essa impressão quando conversou com ela?

— Ela tem muitos problemas que carrega sozinha e, como não consegue seguir em frente, está pedindo ajuda. Ela se machuca tentando expressar esses sentimentos. Isso não é apenas uma impressão, é algo bem visível.

Mari se levanta e observa o céu noturno. Depois, caminha em direção ao balanço para se sentar num deles. O barulho de seu tênis amarelo pisando as folhas secas assume proporções exageradas que reverberam nos arredores. Ela balança várias vezes a corda grossa do balanço para testar sua resistência. Takahashi também se levanta, caminha por sobre as folhas secas e se senta ao seu lado.

— Eri está dormindo agora — diz Mari num tom de desabafo. — Profundamente.

— Todos estão dormindo nesta hora.

— Não é isso — responde Mari. — Ela não quer acordar.

12

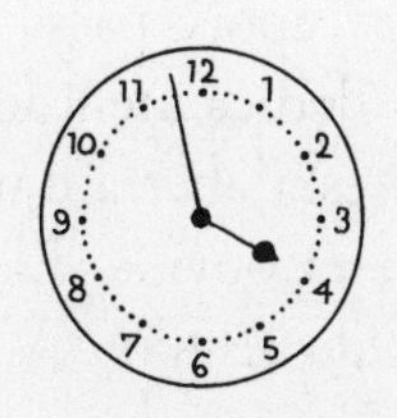

Escritório de Shirakawa.

Ele está sem a camisa e deitado sobre um colchonete, fazendo abdominais. A camisa e a gravata estão penduradas no encosto da cadeira, e os óculos e o relógio estão dispostos um ao lado do outro sobre a mesa. Ele é magro, mas o tórax é robusto e não há nenhuma gordura sobrando no corpo. Seus músculos são rígidos e bem definidos. Sem as roupas, a impressão que temos é bem diferente de quando está vestido. Ao mesmo tempo que faz respirações profundas e curtas, ergue o corpo e vira o tronco para a esquerda e para a direita em ritmo acelerado. As pequenas gotas de suor que afloram em seu peito e ombros brilham com a luz das lâmpadas fluorescentes. O aparelho portátil de CD, sobre a mesa, toca a cantata de Alessandro Scarlatti, interpretada por Brian Asawa. A música lenta parece destoar do vigoroso exercício, mas, na verdade, ele está sincronizando meticulosamente seus movimentos a ela. Sua rotina deve ser essa: após terminar o trabalho e antes de ir para casa, ele faz uma sequência de exercícios ao som de música clássica, sozinho e deitado no chão do escritório. Seus movimentos são sistemáticos e realizados com segurança.

Após completar uma série de exercícios de flexão e alongamento, ele enrola o colchonete e o guarda no armário. Pega uma toalha de rosto branca, uma nécessaire de plástico e se dirige ao banheiro. Ainda sem vestir a camisa, lava o rosto com sabonete e o enxuga com a toalha.

Depois, passa a toalha no corpo para limpar o suor. Ele dedica atenção a cada movimento. A porta do banheiro está aberta e uma das árias da cantata de Scarlatti pode ser ouvida. Ele cantarola pequenos trechos dessa música do século XVII. Tira da nécessaire um frasco pequeno de desodorante e dá uma rápida pulverizada nas axilas. Aproxima o nariz para averiguar o cheiro. Depois, abre e fecha a mão direita várias vezes e experimenta fazer alguns movimentos com os dedos. Verifica o machucado no dorso da mão. O inchaço está discreto. No entanto, a mão ainda está um pouco dolorida.

Ele retira da nécessaire uma escova pequena e penteia os cabelos. Ele já tem entradas no couro cabeludo, mas sua testa é de boa proporção e não se nota a perda de cabelo. Coloca os óculos, fecha os botões da camisa e dá um nó na gravata. É uma camisa cinza-clara, e a gravata é azul-marinho axadrezada. Ele se olha no espelho e dobra a gola da camisa para ajustar o nó.

Depois, Shirakawa examina seu rosto refletido no espelho do banheiro. Por um longo tempo, ele se encara com um olhar fixo e severo, sem mover os músculos da face. As mãos estão apoiadas na pia do lavatório. Prende a respiração e fixa a atenção, sem piscar os olhos. Sua expectativa é que, agindo assim, *outra coisa* possa acontecer. O que está tentando fazer é tornar os sentimentos mais objetivos, nivelar a consciência, congelar temporariamente o raciocínio e brecar o tempo por alguns segundos. Ele quer fundir sua própria existência nesse cenário. Quer que tudo pareça um quadro neutro de natureza-morta.

Mas, mesmo tentando cancelar a todo custo os indícios de sua existência, essa *outra coisa* não acontece. Sua imagem refletida no espelho é exatamente a mesma da realidade; é apenas um reflexo fiel do real. Ele desiste. Respira fundo, enchendo os pulmões com ar fresco, e endireita a postura. Relaxa os músculos e gira o pescoço várias vezes em grandes círculos. Depois, guarda na nécessaire os objetos pessoais que estão sobre a pia. Enrola a toalha que enxugou o corpo e a atira no cesto de lixo. Ao sair do banheiro, apaga a luz. A porta se fecha.

Mesmo após Shirakawa sair, nosso olhar permanece no banheiro como uma câmera fixa filmando o espelho no escuro. A imagem de Shirakawa continua lá. Shirakawa — ou melhor, a imagem de Shirakawa — está olhando de dentro do espelho para o lado de cá. Sua expressão não muda e ela não se move. Apenas observa atentamente o lado de cá. No entanto, num certo momento ela parece desistir e relaxa o músculo do corpo, respira fundo e gira o pescoço. Depois, leva a mão ao rosto e massageia a bochecha. É como se quisesse verificar a sensação de tocar a carne.

Shirakawa voltou para sua mesa e está pensando em algo enquanto gira entre os dedos o lápis prateado com o nome da empresa. É o mesmo lápis que estava no chão do quarto em que Eri Asai despertou. Nele está escrito: VERITECH. A ponta está gasta. Depois de brincar um tempo com o lápis entre os dedos, ele o coloca ao lado do porta-lápis, onde há outros seis lápis idênticos, um ao lado do outro. Todos estão perfeitamente apontados, a ponto de ser impossível apontá-los mais.

Ele se prepara para ir embora. Coloca alguns documentos na pasta de couro marrom e veste o paletó. Guarda a nécessaire no armário, pega uma sacola grande de compras que está no chão, ao lado, e a leva para a mesa. Senta-se na cadeira e começa a tirar as coisas da sacola, olhando atentamente cada objeto. São as roupas que arrancou da prostituta chinesa no Alphaville.

Um casaco leve cor de creme e um sapato vermelho de salto baixo. As solas estão mais gastas num dos lados. Suéter rosa-shocking de gola redonda com detalhes em miçanga. Blusa branca bordada. Minissaia azul bem justa. Meia-calça de náilon preta. Roupas íntimas cor-de--rosa bem forte, com rendas baratas de material sintético. A impressão que temos desse conjunto de roupas não é exatamente de apelo sexual, mas de tristeza. A blusa e as peças íntimas estão com manchas escuras de sangue. Relógio de pulso barato. Bolsa de couro sintético.

Shirakawa examina cada peça cuidadosamente e faz uma expressão de quem diz: "O que essas coisas estão fazendo aqui?" É uma expressão de desconforto, com uma pitada de desagrado. É claro que ele se lembra direitinho de tudo o que fez no quarto do Alphaville. E, mesmo que quisesse esquecer, a dor que sente na mão direita não o deixaria. Mas ele vê todas essas coisas como objetos desprovidos de significado. Lixo sem nenhum valor. São objetos que jamais deveriam fazer parte de sua vida. Mesmo assim, ele continua seu trabalho cuidadoso de verificação, totalmente insensível. Prossegue escavando os vestígios miseráveis de seu passado recente.

Ele abre a fivela da bolsa e despeja todas as coisas sobre a mesa. Lenço de pano, lenço de papel, estojo de pó de arroz, batom, delineador e outros apetrechos de maquiagem. Pastilhas para garganta. Frasco pequeno de vaselina e preservativo. Dois absorventes internos. Frasco pequeno de gás lacrimogêneo para coibir molestadores sexuais (Shirakawa teve sorte de ela não ter tido tempo de usar isso). Par de brincos barato. Band-Aid. Estojo de pílulas com alguns comprimidos. Carteira de couro marrom. Dentro da carteira, três notas de dez mil ienes que ele entregou para ela logo no início, algumas notas de mil ienes e moedas. Fora isso, um cartão telefônico e uma carteirinha de passe de metrô. Um cupom de descontos de um salão de cabeleireiro. Não há nada que revele sua identidade. Depois de hesitar um pouco, Shirakawa pega todo o dinheiro da carteira e o guarda no bolso da calça. É o dinheiro que ele havia lhe dado. Está apenas pegando-o de volta.

Dentro da bolsa temos também um celular pequeno, modelo flip. O celular é pré-pago, para não identificar o proprietário, e está programado para receber chamadas na caixa postal. Ele liga o celular e tecla *playback* para ouvir as gravações. Há várias mensagens, mas todas em chinês. Todas com a voz do mesmo homem. Ele fala rápido e parece repreendê-la. As mensagens são curtas. Logicamente, Shirakawa não consegue entendê-las. Mas, mesmo assim, ele ouve todas as mensagens antes de desligar.

Ele encontra um saco de lixo de papel e coloca nele todas as coisas que estão sobre a mesa, menos o celular. Amassa o saco para diminuir o volume e o fecha. Depois, coloca o saco dentro de outro saco plástico, tira todo o ar e fecha. Somente o celular está sobre a mesa, separado das outras coisas. Ele pega o celular, observa-o por algum tempo e o coloca novamente sobre a mesa. Está pensando em como vai se desfazer dele. Pode ser que sirva para alguma coisa, mas ainda não decidiu o que vai fazer.

Shirakawa desliga o aparelho de CD, guarda-o na última gaveta, a maior delas, e a tranca com chave. Limpa cuidadosamente as lentes dos óculos com o lenço e depois pega o telefone e liga para a companhia de táxi. Informa seu nome, o da empresa e solicita que venham buscá-lo no portão dos fundos em dez minutos. Veste o casacão cinza-claro que estava pendurado e guarda o celular da garota, que estava sobre a mesa. Pega a pasta de couro e o saco de lixo. Em frente à porta, antes de apagar as luzes, dá uma olhada geral na sala para se certificar de que tudo está em ordem. Mesmo apagando todas as lâmpadas fluorescentes do teto, a sala não fica totalmente escura. A iluminação da rua e a luz dos cartazes infiltram-se pelas frestas da persiana, mantendo uma tênue claridade.

Ele fecha a porta e sai no corredor. Enquanto caminha, ressoando o barulho seco da sola de seu sapato, solta um longo bocejo. É como se dissesse "até que enfim mais um dia monótono terminou".

Entra no elevador e desce. Abre a porta dos fundos, sai e a tranca com chave. O ar que expira está esbranquiçado pela condensação. Aguarda alguns instantes e logo um táxi aparece. O motorista de meia-idade abre a janela e verifica se é Shirakawa. Olha a seguir para o saco de lixo que Shirakawa está segurando.

— Não se preocupe. Não é lixo orgânico, não vai cheirar — justifica-se ele. — Vou passar num lugar aqui perto para jogá-lo...

— Tudo bem, esteja à vontade — responde o motorista. E abre a porta.

Shirakawa entra no táxi.

O motorista olha para ele através do espelho retrovisor.

— Desculpe-me, mas será que eu já não atendi o senhor antes? Se não me engano, era mais ou menos nesse mesmo horário que vim aqui buscá-lo. O senhor não mora lá pelos lados de Ekoda?

— Tetsugakudô — informa Shirakawa.

— Isso! Isso mesmo. Tetsugakudô. Hoje, também, é para lá que vamos?

— É sim. Goste ou não, é o único lugar que tenho para voltar.

— Ter um único lugar para retornar é muito conveniente — comenta o motorista, dando a partida no carro. — Ficar trabalhando até tão tarde deve ser difícil, não?

— Por causa da recessão, as horas extras aumentaram, mas o salário não.

— Também estou numa situação parecida. Se eu ganho pouco, preciso compensar trabalhando mais.

Mas o senhor devia se sentir um felizardo, sabia? Já que sua empresa cobre as despesas de táxi, quando faz hora extra.

— Mas se eles me fizessem trabalhar até essas horas e não pagassem o táxi, não teria como voltar para casa — responde Shirakawa, dando em seguida uma risada forçada.

Nisso, ele se lembra:

— Ah!... Quase ia me esquecendo! Poderia virar à direita no próximo cruzamento e dar uma paradinha em frente ao 7-Eleven? Minha mulher me pediu para comprar uma coisa. É rapidinho.

Olhando pelo retrovisor, o motorista comenta:

— A próxima à direita é contramão, vou precisar dar a volta. Se puder ser outra rede de conveniência, vamos passar por algumas delas no caminho, pode ser?

— O que ela me pediu, acho que só vai ter lá. E também quero jogar fora logo esse saco de lixo.

— Por mim, tudo bem. Só perguntei porque a corrida pode ficar mais cara que o normal.

O motorista vira no cruzamento à direita, segue por algum tempo, encontra um local adequado para estacionar e abre a porta. Shirakawa deixa a pasta no carro e sai com o saco de lixo. Vários sacos estão apinhados em frente ao 7-Eleven. Ele coloca o seu em cima da pilha. O saco se mistura aos outros e, num piscar de olhos, perde sua singularidade. Quando amanhecer, o caminhão de lixo virá recolhê-lo. Não sendo lixo orgânico, os corvos não irão furá-lo. Antes de entrar na loja, ele olha de novo para a pilha de lixo.

Não há nenhum cliente na loja. O rapaz que trabalha no caixa está ao celular totalmente envolvido num bate-papo. Ao fundo ouve-se a nova música do Southern All Stars. Shirakawa vai direto à seção de laticínios e pega uma embalagem do leite desnatado da Takanashi.

Verifica o prazo de validade. Está bom. Aproveita e pega também um pote grande de iogurte. Nisso, ele se lembra do celular da chinesa e o tira do bolso. Olha em volta e, quando tem certeza de que ninguém está vendo, coloca-o ao lado das embalagens de queijo. É estranho admitir que o celular pequeno e prateado ficou muito bem acomodado nesse lugar. Até parece que ele já estava aí havia muito tempo. Com isso, o objeto deixa as mãos de Shirakawa e se torna parte do 7-Eleven.

Ele paga a conta no caixa e rapidamente volta ao táxi.

— Conseguiu encontrar o que queria? — pergunta o taxista.

— Consegui — responde Shirakawa.

— Então agora vamos direto para Tetsugakudô.

— Vou dormir um pouco... Poderia me acordar quando estiver perto? — pergunta Shirakawa. — É um pouco antes do posto de gasolina Shôwa Shell.

— Pode deixar. Fique tranquilo.

Shirakawa coloca a sacola com o leite e o iogurte ao lado da pasta, cruza os braços e fecha os olhos. Não vai conseguir dormir. Na verdade, o que ele não quer é ficar batendo papo com o taxista durante o trajeto. De olhos fechados, tenta pensar em algo que não o deixe irritado: coisas mundanas, sem nenhum significado profundo. Ou tenta pensar em algo puramente conceitual. No entanto, não consegue se fixar em nada disso. E, dentro desse nada, sente apenas uma leve dor na mão direita. Uma dor que pulsa acompanhando as batidas do coração e que reverbera nos ouvidos como bramidos do mar. "Que estranho", pensa ele. "O mar é tão distante daqui..."

Depois de seguir o trajeto durante um tempo, o táxi que leva Shirakawa para num sinal vermelho e aguarda. É um grande cruzamento e o semáforo demora a abrir. Ao lado do táxi, uma moto Honda preta dirigida por um chinês também aguarda. A distância entre os dois é de menos de um metro. No entanto, o homem da moto está olhando para a frente e não percebe que Shirakawa está lá. Shirakawa está de olhos fechados, com o corpo afundado no banco. Está ouvindo o bramido imaginário de um mar distante. O semáforo muda para verde e a moto segue em frente. O taxista acelera suavemente para não acordar Shirakawa e, um pouco mais à frente, vira à esquerda afastando-se da cidade.

13

Em plena madrugada, num parque deserto, Mari e Takahashi estão sentados em dois balanços, um ao lado do outro. Takahashi observa o rosto de Mari de perfil. Ele está com uma expressão de quem diz "Como assim? Não estou entendendo...". Prosseguem na mesma conversa.

— Ela não quer acordar?

Mari continua a guardar silêncio.

— O que isso quer dizer? — pergunta Takahashi.

Mari mantém-se calada e fita os pés como se criasse coragem para falar. Mas ainda não está preparada.

— E então... Que tal andar um pouco? — sugere ela.

— Tudo bem, vamos. Andar faz bem. Ande devagar; tome muita água.

— Como?

— É o lema da minha vida. Ande devagar; tome muita água.

Mari olha para Takahashi. É um lema estranho. Mas não faz comentários nem perguntas. Ela se levanta do balanço e começa a andar, seguida por Takahashi. Os dois deixam o parque e caminham em direção às luzes da cidade.

— Você vai voltar para o Skylark? — pergunta Takahashi.

Mari responde que não, balançando a cabeça.

— Estou ficando entediada de ler em restaurantes.

— Acho que entendo — diz Takahashi.

— Eu queria voltar ao Alphaville.

— Vou com você. É perto do lugar onde ensaio.

— Kaoru me disse que eu poderia ir lá quando quisesse, mas será que não vou atrapalhar? — pergunta Mari.

Takahashi balança a cabeça, discordando.

— Ela pode ter boca suja, mas é uma pessoa sincera. Se ela te disse que você pode ir lá quando bem entender, significa que você pode ir quando quiser. Pode acreditar.

— Hum.

— Ainda mais que agora o trabalho deve estar bem tranquilo. Se você for lá, acho que elas vão ficar muito contentes.

— Você precisa voltar para o ensaio, não é?

Takahashi olha o relógio de pulso.

— Acho que esta é a última vez em que vou ensaiar a noite toda. Vou aproveitar o resto da noite e botar pra quebrar!

Os dois estão de volta ao centro da cidade. A essa hora, realmente, já não se vê quase ninguém andando pelas ruas. São quatro horas da madrugada; o horário mais tranquilo da cidade. Muitos objetos estão espalhados pela rua: latas de cerveja em alumínio, jornais vespertinos pisoteados, caixas de papelão amassadas, garrafas pet, pontas de cigarro. Fragmentos de um farol traseiro. Uma luva de algodão branca e grossa de operário. Cupom de desconto de algum produto. E até vômito. Um gato grande e sujo está entretido fungando os sacos de lixo. Ele tenta encontrar algo antes da invasão dos ratos e dos corvos vorazes que virão buscar alimentos, logo ao amanhecer. Quase todas as luzes neon estão apagadas, exceto as das lojas de conveniência que funcionam 24 horas. Vários folhetos de propaganda foram deixados sobre os para-brisas dos carros estacionados nas ruas. Podemos ouvir o barulho incessante de caminhões de grande porte passando na rodovia que fica nas proximidades. Os motoristas de caminhão aproveitam esse horário, de pouco trânsito, para percorrer longas distâncias. Mari usa o boné do Boston Red Sox bem encaixado na cabeça. As mãos estão enfiadas nos bolsos da jaqueta esportiva. Andando lado a lado, notamos como é grande a diferença de altura entre eles.

— Por que você usa o boné do Red Sox? — pergunta Takahashi.

— É porque ganhei de alguém — responde Mari.

— Não é por ser fã deles?

— Não sei nada de beisebol.

— Eu também não tenho interesse por beisebol. Sou mais fã de futebol — responde Takahashi. — E sua irmã? Aquela conversa...

— Sei...

— Não estou entendendo. Você disse que Eri não quer acordar de jeito nenhum? — pergunta Takahashi.

Mari praticamente precisa levantar o rosto para vê-lo.

— Me desculpe, mas não quero conversar sobre isso andando, tudo bem? Digamos que é um assunto delicado.

— Entendo.

— Que tal falar de outra coisa?

— Que coisa?

— Sei lá! Qualquer coisa. Fale-me de você — sugere Mari.

— De mim?

— É. De você.

Takahashi pensa por algum tempo.

— Não me lembro de nenhum assunto alegre...

— Tudo bem. Então, fale-me de algum assunto triste.

— Minha mãe morreu quando eu tinha sete anos — ele começa a contar. — Câncer de mama. Quando descobriram, já era tarde demais e em três meses ela morreu. Foi num piscar de olhos. A evolução da doença foi tão rápida que não deu tempo de fazer o tratamento. Nessa época, meu pai estava preso. Já te disse isso, né?

Mari ergue o rosto novamente para fitar Takahashi.

— Você tinha sete anos quando sua mãe morreu de câncer de mama e seu pai estava preso?

— É isso mesmo — confirma Takahashi.

— Quer dizer que você ficou sozinho?

— Isso mesmo. Meu pai foi preso e condenado a dois anos por fraude. Acho que estava envolvido num esquema de fraude piramidal ou algo assim. Os prejuízos foram enormes e, como ele já tinha ficha criminal por ter se envolvido no movimento político estudantil, a pena não foi suspensa. A suspeita era de que essa soma seria usada para financiar esse movimento. Mas, na verdade, não tinha nada a ver. Eu lembro que fui visitá-lo com minha mãe. Era um lugar muito frio. Fazia seis meses que ele estava preso quando minha mãe descobriu o câncer de mama e teve de ser internada. Foi quando fiquei temporariamente órfão: meu pai, na cadeia; minha mãe, no hospital.

— Quem tomou conta de você?

— Só fiquei sabendo disso mais tarde, mas quem arcou com as despesas do hospital e com meus gastos pessoais foi a família do meu pai. Ele tinha cortado o relacionamento com a família havia muito tempo, mas diante dessas circunstâncias ele não podia deixar seu filhinho de sete anos morrer por abandono, não é mesmo? Uma tia vinha lá em casa a contragosto em dias intercalados. Os vizinhos também se revezavam para me ajudar: lavavam a roupa, faziam compras e traziam comida. Naquela época, tive sorte de morar na parte antiga de Tóquio. Lá você ainda pode contar com os *vizinhos*. Mas a impressão que tenho é de que eu fazia quase tudo sozinho: preparava refeições simples e me arrumava para ir à escola... Mas são bem vagas as lembranças que tenho dessa fase da minha vida. É como se fosse a vida de alguém bem distante.

— Quando seu pai voltou?

— Acho que três meses depois que minha mãe morreu. Devido às circunstâncias, ele conseguiu obter a liberdade condicional mais cedo. É claro que fiquei muito feliz quando meu pai voltou para casa, pois deixei de ser órfão. Afinal, meu pai é um adulto grande e forte. Fiquei tranquilo. Até hoje me lembro do dia em que voltou vestindo um casaco xadrez velho, de tecido grosseiro e impregnado com cheiro de cigarro.

Takahashi tira uma das mãos do bolso do casaco e dá uma coçadinha na nuca.

— Mas, lá no fundo, o reencontro não me deixou tranquilo. Não sei explicar direito, mas é como se dentro de mim as coisas não se encaixassem tão bem. É como se eu me sentisse enganado. É como se meu verdadeiro pai tivesse desaparecido para sempre e, para preencher seu lugar, outra pessoa tomasse sua forma e voltasse para casa, entende?

— Acho que sim — responde Mari.

Takahashi fica em silêncio por um tempo. E prossegue:

— Sabe, naquela época eu senti o seguinte: que meu pai *nunca deveria ter me deixado sozinho, houvesse o que houvesse*. Ele nunca deveria ter me deixado órfão neste mundo. Independentemente das circunstâncias, ele nunca deveria ter sido preso. Naquela época, eu não sabia direito o que era uma prisão. Eu só tinha sete anos. Mas tinha uma vaga ideia de que a prisão era como um armário: escuro, medonho e sinistro. Meu pai não deveria ter ido para um lugar assim.

Takahashi interrompe a conversa neste ponto.

— Seu pai já foi preso?

Mari balança a cabeça negativamente e responde:

— Acho que não.

— E sua mãe?

— Também acho que não.

— Que sorte! Você não avalia como isso é bom — diz Takahashi, esboçando um sorriso. — Você ainda não deve ter se dado conta disso.

— Nunca pensei nisso.

— As pessoas normais não pensam nisso. Eu penso.

Mari olha Takahashi de relance.

— E... Depois disso, seu pai voltou a ser preso?

— Depois disso, meu pai nunca mais teve problemas com a justiça. Ou pode ser que tenha tido. Sabe de uma coisa? Acho que teve, sim. É que no mundo existem pessoas que não conseguem viver corretamente. Mas pelo menos não se envolveu em nada muito pesado, que o faria voltar à cadeia. Ele não vai querer ser preso de novo, pois já é um gato escaldado. Ele tem o jeito dele de assumir responsabilidade pela minha falecida mãe e por mim. Ele se tornou um empresário respeitado, se bem que dentro de uma zona acinzentada. Durante esse tempo tivemos muitos altos e baixos. Houve épocas em que fomos muito ricos, e outras em que fomos muito pobres. Era como se estivéssemos numa montanha-russa. Chegamos a ter um enorme Mercedes-Benz com motorista, e tempos depois não tínhamos nem dinheiro para comprar uma bicicleta. Também já chegamos a fugir de madrugada. Não podíamos nos fixar tranquilamente numa região e, a cada seis meses, eu tinha que ser transferido de escola. É claro que desse jeito nunca ia conseguir ter amigos. Até entrar no ginásio, minha vida era assim.

Takahashi enfia as mãos novamente nos bolsos do casaco e, balançando a cabeça para os lados, afasta as lembranças ruins.

— Mas agora ele está *suficientemente* estabelecido e sossegado. Afinal ele é da geração do pós-guerra, um cara obstinado. Imagina só! É da mesma geração que dá o título de "Sir" para o Mick Jagger! Ele fica firme até o limite e sobrevive. É de uma geração que nunca se arrepende do que faz, mas aprende a lição. Eu nem sei direito no que ele trabalha. Nunca perguntei, e ele nunca me deu satisfações. Em compensação, ele paga sem falta as mensalidades da escola. De vez em quando, quando lhe dá na telha, me dá uma bolada de mesada. Você não acha que neste mundo existem coisas que é melhor não ficar sabendo?

— Seu pai se casou de novo?

— Quatro anos depois que minha mãe morreu. Ele não é o tipo de homem que se sacrificaria sozinho cuidando de um filho. Ah, não mesmo.

— Eles não quiseram ter filhos?

— Bem, filho mesmo, só eu. Acho que é por isso que ela cuidou de mim como se eu fosse dela. Quanto a isso, sou muito grato. Na verdade, quem tem problemas sou eu.

— Que tipo de problemas?

Takahashi sorri para Mari.

— Sabe o que é? Uma vez que você já se sentiu órfão, você se sente órfão até morrer. Sempre tenho o mesmo sonho: tenho sete anos e fico órfão de novo. Estou sozinho e não há nenhum adulto em quem eu possa confiar. Está anoitecendo e, minuto a minuto, à minha volta vai ficando cada vez mais escuro. A noite está bem próxima. É sempre o mesmo sonho. Sempre volto a ter sete anos. Esse tipo de software, uma vez contaminado, não tem mais como ser substituído.

Mari apenas ouve.

— Mas, normalmente, evito pensar coisas que me incomodam — desabafa Takahashi. — De que adianta ficar pensando nisso, não é mesmo? O melhor que podemos fazer é ir vivendo um dia após o outro.

— O melhor a fazer é andar muito e beber água bem devagar, não é isso?

— Não! Não é assim... — diz Takahashi. — É ande *devagar*; tome *muita* água.

— Por mim, tanto faz.

Takahashi pensa seriamente.

— É, você tem razão.

Não tocam mais no assunto. Caminham em silêncio. Expirando o ar condensado, eles sobem as escadas mal-iluminadas e chegam em frente ao Alphaville. As luzes roxas do neon fazem com que Mari se sinta nostálgica.

Takahashi para em frente à entrada do hotel e, olhando para Mari, de repente, faz uma expressão séria.

— Tenho que te confessar uma coisa.

— O quê?

— Eu também estou pensando a mesma coisa que você — diz Takahashi —, mas hoje não dá. Não estou de cueca limpa.

Mari balança a cabeça indignada.

— Deixa disso! Que piada mais sem graça!

Takahashi solta uma gargalhada.

— Venho te buscar lá pelas seis, ok? Se você quiser, podemos tomar o café da manhã, que tal? Aqui perto tem um restaurante que serve uma ótima omelete: daquelas bem fofinhas e quentes... Por falar nisso, será que tem algum problema com a omelete? Por exemplo: mudança genética, proteção aos animais, inadequação política...

Mari pensa um pouco.

— Não sei dizer quanto às questões políticas, mas se a galinha tem problema, naturalmente os ovos também têm.

— Xi, e agora? — Takahashi franze a sobrancelha. — Tudo que eu gosto parece ter sempre algum problema.

— Se bem que eu também gosto de omelete...

— Ah, então vamos encontrar um meio-termo. Você vai ver como essa omelete é excepcional.

Ele acena e segue sozinho para o ensaio. Mari endireita o boné e entra no motel.

14

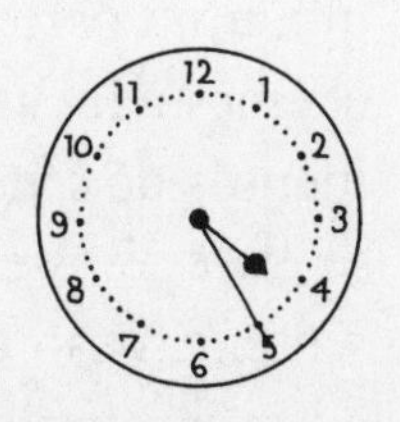

Quarto de Eri Asai.

A televisão está ligada. Eri, de pijama, olha para o lado de cá, lá de dentro da tela. Ela balança a cabeça para afastar alguns fios de cabelo que lhe caem sobre a testa. Está com as palmas das mãos apoiadas na tela e, olhando para cá, tenta dizer alguma coisa. É como se uma pessoa ficasse perdida dentro do tanque vazio de um aquário e, através do vidro espesso, tentasse explicar ao público a sua desgraça. No entanto, sua voz é inaudível para nós. Ela não é transmitida para o lado de cá.

Nota-se que alguns de seus sentidos ainda estão paralisados. Ela parece não ter forças nos braços e nas pernas. Isso porque dormiu profundamente durante muito tempo. Mas, apesar disso, nota-se seu esforço em obter um mínimo de compreensão do porquê de estar nesse lugar e nessa situação tão misteriosa. Apesar de se sentir confusa e desnorteada, tenta, a todo custo, cncontrar algum modo de entender ou mesmo de assimilar o tipo de lógica ou de fundamento que rege o lugar em que está. Esse sentimento pode ser captado através do vidro.

Isso não significa que esteja gritando, ou que proteste furiosa. A impressão que temos é de que ela se cansou de tanto gritar ou protestar. Digamos que Eri já está ciente de que sua voz não é ouvida do lado de cá.

O que ela tenta fazer é encontrar um jeito fácil e adequado de expressar, mesmo que minimamente, o que seus olhos veem e o que sente nesse lugar. Podemos dizer que uma parte da mensagem é para nós, e a outra, para ela mesma. Fazer isso não é uma tarefa simples. Os movimentos de seus lábios são lentos e intermitentes. É como se ela estivesse falando uma língua estrangeira: todas as sentenças são curtas e o intervalo entre uma palavra e a outra é sempre variável. Esses intervalos parecem esticar e diluir os significados que parecem estar implícitos neles. Nós, do lado de cá, estamos atentos, prestando muita atenção, mas, mesmo assim, sentimos dificuldades de discernir — apenas com os movimentos de seus lábios — se ela está falando ou não. A realidade escorre por entre os seus dedos como os grãos de areia em uma ampulheta. O tempo, do lado em que ela está, não é seu aliado.

Ela, então, desiste de falar para o lado de cá e, resignada, se cala. Esse novo silêncio se sobrepõe ao silêncio já existente. Logo depois, do lado de lá, ela bate delicadamente o vidro com o punho. Ela tenta fazer tudo o que é possível. Mas nem mesmo essas batidas podem ser ouvidas do lado de cá.

De algum modo, Eri parece enxergar o lado de cá através da tela da TV. Estamos dizendo isso porque observamos os movimentos de seus olhos. Ela parece observar cada um dos objetos existentes no seu quarto do lado de cá: a mesa, a cama, a estante... Esse quarto deveria ser o seu lugar, é onde ela deveria estar. Ela deveria estar dormindo, serenamente, em sua cama que fica do lado de cá. No entanto, neste momento, ela não pode atravessar a parede de vidro transparente para retornar. Em algum momento, enquanto dormia, foi transportada para lá e se mantém encarcerada por força de alguma ação ou de alguma intencionalidade. Suas pupilas, tal qual nuvens acinzentadas refletidas na superfície de um lago calmo, expressavam a cor da solidão.

Infelizmente (devemos admitir), não podemos fazer nada por Eri Asai. É redundante, mas tornamos a repetir que somos apenas um ponto de vista. Em hipótese alguma podemos interferir nessa situação.

No entanto — indagamos a nós mesmos —, quem era aquele homem sem rosto? O que ele fez para Eri? Para onde ele foi?

Antes de obter essas respostas, de repente a imagem da TV perde a estabilidade. As ondas de transmissão oscilam, provocando distorções na imagem. Os contornos de Eri Asai ficam um pouco indefinidos, sofrendo oscilações. Ela percebe que algo estranho está acontecendo com o seu corpo e, virando-se para trás, olha à sua volta. Ela observa o teto, depois o chão e, por fim, suas mãos que se distorcem. Ela mira os contornos de suas mãos que vão perdendo a definição. A insegurança estampa-se em seu rosto. O que será que está para acontecer? Aquele ruído incômodo vai aumentando. Em algum lugar distante, no alto de uma colina, ventos fortes começam a soprar. A linha de conexão que une os dois mundos está oscilando violentamente. E os contornos da existência de Eri também estão prestes a desaparecer. O significado de seu corpo está sendo corroído. "Fuja!" Gritamos alto e bom som. Sem querer, esquecemos que devemos ser imparciais. É claro que ela não ouviu nosso grito. Mas Eri sente a possível ameaça que se aproxima e tenta fugir. Sai correndo para algum lugar. Supomos que seja em direção à porta. A imagem dela não é captada pela câmera. A imagem perde rapidamente a definição e agora está se distorcendo e se desmanchando. A luz emitida pelo tubo da TV está ficando cada vez mais fraca, tomando a forma de um quadrado que vai diminuindo de tamanho até desaparecer por completo. Todas as informações se transformam em vazio; o espaço é removido; os significados dispersam-se; o mundo se divide e, por fim, resta apenas o silêncio, ausente de sentido.

Outro relógio, mas em outro lugar. É um relógio redondo, elétrico, pendurado na parede. Os ponteiros indicam 4h31. É a cozinha da casa de Shirakawa. Ele está com o primeiro botão da camisa desabotoado e com a gravata afrouxada. Está sozinho, sentado na mesa de refeições e comendo um iogurte natural com uma colher. Para não se dar o trabalho de colocá-lo numa tigela, ele usa a colher diretamente no pote de plástico e a leva para a boca.

Assiste à televisão num aparelho portátil colocado na cozinha. Ao lado do pote de iogurte há um controle remoto. Na TV passa uma imagem do fundo do mar. São vários tipos de seres vivos, de formatos estranhos, que vivem nas profundezas. Uns são horrorosos; outros, maravilhosos. Predadores de um lado; presas de outro. Há um pequeno submarino de pesquisa com equipamentos de última geração. Um poderosíssimo holofote; um manipulador de alta precisão. É um programa de história natural chamado *Criaturas do fundo do mar*. O som está mudo. Ele não demonstra nenhum interesse pelo programa, apenas assiste à TV enquanto come o iogurte com a colher. Sua mente, no entanto, está pensando em outra coisa. Está pensando na relação entre lógica e ação. Seria a ação um derivado da lógica, ou seria a lógica que deriva do resultado da ação? Seus olhos acompanham as imagens da TV, mas o certo é que ele está olhando algo bem lá no fundo da tela. Isto é, algo que está bem distante, a um ou dois quilômetros.

Ele se volta para o relógio de parede. Os ponteiros indicam 4h33. O ponteiro dos segundos faz sua rotação deslizando suavemente sobre os números. O mundo avança contínua e incessantemente. A lógica e a ação estão plenamente conectadas. Pelo menos neste momento.

15

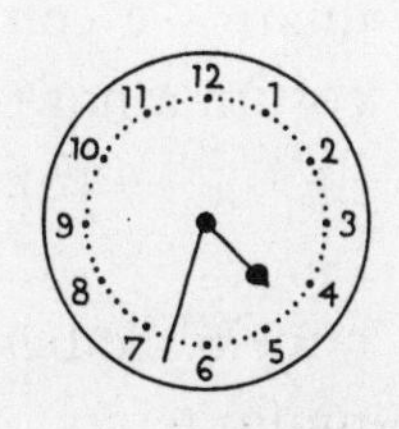

Na televisão, continua a passar o programa *Criaturas do fundo do mar*. No entanto, essa não é mais a TV da casa de Shirakawa. A tela é bem maior. É a TV que fica no quarto de visitas do motel Alphaville. Mari e Koorogui veem o programa, mas sem prestar atenção. Elas estão sentadas em poltronas individuais. Mari usa óculos. A jaqueta e a bolsa estão no chão. Koorogui está prestando atenção no programa, mas perde o interesse e começa a mudar os canais com o controle remoto. Como não encontra nenhum programa interessante, desiste de procurar e resolve desligar a TV. Pergunta a Mari:

— Você não está com sono? Acho melhor você se deitar e dormir um pouco. Kaoru já está dormindo lá no quarto dos fundos.

— Mas ainda não estou com tanto sono assim — responde Mari.

— Então vamos tomar alguma coisa? Que tal um chá bem quentinho? — pergunta Koorogui.

— Se não for te dar trabalho...

— Por aqui, chá é o que não falta. Não precisa fazer cerimônia.

Koorogui pega o saquinho de chá e, com a água quente da garrafa térmica, prepara dois chás verdes.

— Até que horas você trabalha?

— Eu e a Komugui trabalhamos em dupla das dez da noite até às dez da manhã. Quando os clientes que pernoitaram vão embora, fazemos a arrumação dos quartos e com isso termina nosso turno. Mas às vezes costumamos tirar uma sonequinha...

— Faz tempo que você trabalha aqui?

— Se não me engano, acho que já faz um ano e meio. Se bem que, neste tipo de serviço, é difícil ficar muito tempo num mesmo lugar.

Passado certo tempo, Mari diz:

— Posso te fazer uma pergunta pessoal?

— Pode sim. Mas, dependendo do que for, não vou poder te responder, tá?

— Mas você não vai ficar chateada?

— Não. Não precisa se preocupar.

— Você disse que se livrou do seu nome verdadeiro, não disse?

— Hum. Disse sim.

— Por que você fez isso?

Koorogui retira o saquinho de chá da xícara, coloca-o no cinzeiro e oferece a xícara para Mari.

— Porque, se eu continuasse a usar meu nome, estaria correndo risco de vida. Tenho motivos de sobra para não usá-lo. De *certo modo*, digamos que... estou fugindo.

Koorogui toma um gole de chá.

— E tem outra coisa que você certamente não deve saber: ser funcionária de motel é muito conveniente pra quem está fugindo de algo, sabia? Se bem que trabalhar numa hospedaria é muito mais rentável por conta das gorjetas dos hóspedes. Mas o problema é que nesse tipo de serviço você acaba mostrando o seu rosto, não é mesmo? Ainda por cima precisa conversar com os hóspedes. E, nesse ponto, trabalhar num motel é melhor porque você não precisa ficar cara a cara com eles. Além do mais, você trabalha no escuro e faz as coisas meio que às escondidas. E, de quebra, temos até lugar para dormir. Não te pedem currículo, referências, essas coisas chatas e que dão trabalho. Mesmo quanto ao nome, se te perguntarem e você disser "É que... eu prefiro não falar", eles te respondem: "Se é assim, que tal se chamar Koorogui?", e tudo bem. É que falta gente pra esse tipo de serviço. E é por isso que muita gente que trabalha nesse mundo tem algum peso na consciência.

— Então é por isso que não se fica muito tempo num lugar?

— É isso mesmo. Se você der mole, acaba ficando conhecida. É por isso que você tem que ficar indo de um lugar pra outro. De Hokkaido a Okinawa, motel é o que não falta, por isso há emprego de monte. Mas, no meu caso, fui ficando, ficando, porque me sinto bem aqui e Kaoru é uma pessoa bacana.

— Faz muito tempo que você está fugindo?

— Bem... Acho que já vai fazer pelo menos três anos.

— Sempre trabalhando neste tipo de serviço?

— É. Um pouco aqui, um pouco ali...

— E essa pessoa de quem você está fugindo é perigosa?

— Ah, é perigosa, sim. Realmente perigosa. Mas não me faça falar mais, ok? Eu evito conversar sobre isso...

As duas ficam em silêncio durante um tempo. Mari toma o chá e Koorogui olha a tela da TV desligada.

— O que você fazia antes? — pergunta Mari. — Quero dizer, antes de ter de ficar fugindo desse jeito?

— Antes eu era uma simples funcionária de escritório. Terminei o colegial, entrei numa empresa comercial bem conhecida em Osaka, trabalhava das 9h às 17h, com uniforme e tudo. Eu tinha mais ou menos a sua idade. Foi na mesma época do terremoto em Kobe. Quando paro para pensar até parece um sonho. E então... me deram uma pequena oportunidade. Uma bem pequenininha. No começo, não achei que era assim grande coisa, mas, quando me dei conta, tinha entrado num beco sem saída. Não podia seguir em frente, nem tampouco voltar atrás. E foi por isso que tive de largar o emprego, meus pais...

Mari olha para o rosto de Koorogui, sem dizer nada.

— E... Desculpe, qual é mesmo o seu nome? — pergunta Koorogui.

— Mari.

— Mari. Vou te dizer uma coisa. O chão que pisamos parece ser bem firme, mas uma coisinha de nada é o suficiente pra fazer ele ceder e, de uma hora para outra, caímos lá pra baixo e desaparecemos. E, uma vez que caímos, não podemos mais voltar. Depois disso, só nos resta viver lá embaixo, sozinhos, num mundo de semiescuridão.

Koorogui parece refletir sobre suas próprias palavras e, como se fizesse uma espécie de autocrítica, balança calmamente a cabeça.

— Bem, devo admitir que fui uma pessoa fraca. E, por ser fraca, deixei as coisas irem acontecendo. Em algum momento eu devia ter me dado conta disso, acordado e parado com tudo aquilo, mas não consegui. Não sou a pessoa mais qualificada pra ficar aqui dando algum sermão, não é mesmo?

— Se te encontrarem, o que vai acontecer? Quero dizer, se esse, se essas pessoas que a perseguem te encontrarem?

— O que acontecerá, hein? — diz Koorogui. — Nem sei direito. Não quero nem pensar...

Mari se cala. Koorogui pega o controle remoto da TV e fica brincando com os botões, mas sem intenção de ligá-la novamente.

— Quando termino o serviço e vou dormir, fico pensando em como seria bom se eu nunca mais acordasse, se eu pudesse ficar dormindo para sempre. Se isso acontecesse, não precisaria mais pensar em nada. Mas acabo sempre sonhando. Sempre o mesmo sonho. Sonho que estou sendo perseguida e, no final, eles acabam me pegando e me levando para outro lugar. Depois me colocam dentro de uma coisa que parece uma geladeira e me trancam lá dentro. Nisso, eu acordo assustada. Fico toda suada e com as roupas ensopadas. Eles me perseguem quando estou acordada e, também, quando estou dormindo. Desse jeito, não tenho nenhum momento de paz. O único momento em que me sinto bem é quando estou aqui batendo um papo inocente e tomando chá com Kaoru e Komugui... Mas quer saber? Até hoje, você foi a única pessoa com quem falei sobre isso. Nunca disse nada pra Kaoru nem pra Komugui.

— Isso de você estar fugindo de alguma coisa?

— É. Se bem que acho que já desconfiam de algo, mesmo que vagamente.

As duas permanecem em silêncio por algum tempo.

— Você acredita no que eu disse? — pergunta Koorogui.

— Acredito sim.

— De verdade?

— É claro!

— Mas eu poderia ter inventado toda essa história, não acha? Como você pode ter certeza? Afinal, acabamos de nos conhecer...

— Mas, para mim, você não tem jeito de quem mente — responde Mari.

— Fico contente em ouvir isso — diz Koorogui. — Quero te mostrar uma coisa.

Ela levanta a bainha da camisa para mostrar suas costas a Mari. Há duas marcas simétricas em ambos os lados da coluna vertebral. Parecem-se com pegadas de pássaros, com três linhas inclinadas. É como se tivessem sido marcadas a ferro quente. A pele ao redor dessas marcas está alta, com cicatrizes de queimadura. São vestígios de uma dor intensa. Ao olhar, Mari instintivamente faz uma expressão de dor.

— Isto aqui é apenas uma amostra do que fizeram comigo — explica Koorogui. — Foram eles que me marcaram assim. Tenho outras, mas em lugares que não posso te mostrar. Isso aqui não é mentira, é?

— Que horror!

— Nunca mostrei isso aqui pra ninguém. Mas é que eu queria que você acreditasse em mim.

— É claro que eu acredito!

— Não sei por quê, mas senti que poderia confiar em você...

Koorogui abaixa a camisa. E, como se quisesse recompor os sentimentos, respira fundo.

— Koorogui...

— Hã?

— Eu também queria te contar uma coisa que nunca falei pra ninguém. Posso?

— Pode sim. Conte-me — incentiva Koorogui.

— Eu tenho uma irmã e ela é dois anos mais velha que eu.

— Ahã.

— E... Uns dois meses atrás, ela disse: "Vou dormir um pouco." Falou logo após o jantar em família. Ao ouvir isso, ninguém se importou. Era um pouco cedo, sete horas da noite, mas, como minha irmã sempre foi de dormir fora de hora, não ficamos muito surpresos. Desejamos apenas um bom descanso. Nesse dia, minha irmã quase não tinha tocado na comida. Ela foi para o quarto e deitou-se na cama. E continua dormindo até hoje.

— *Até hoje*?

— É — responde Mari.

Koorogui franze as sobrancelhas.

— Não acorda, de jeito nenhum?

— Parece que ela acorda de vez em quando — complementa Mari. — A comida que deixamos na sua mesa desaparece, ela parece ir ao banheiro e às vezes toma banho e troca de roupa. Ou seja, ela tem feito o mínimo necessário para se manter viva. Mas é realmente o mínimo. Nem eu nem meus pais nunca a vimos acordada. Quando entramos no quarto, minha irmã sempre está dormindo na cama. Não é fingimento, ela dorme de verdade. Parece até que está morta: não ressona e não se mexe. E, mesmo chamando por ela aos gritos, balançando seu corpo, ela não desperta de jeito nenhum.

— E por acaso vocês já chamaram um médico?

— De vez em quando, um médico da família vem examinar seu estado. Como não é um especialista, não chega a pedir exames detalhados, mas, clinicamente falando, minha irmã não tem nada de anormal. Tem uma febre controlada, a pulsação e a pressão sanguínea estão um pouco abaixo do normal, mas nada de preocupante. Como ela não está desnutrida, não há necessidade de soro. Ela apenas dorme profundamente. Se estivesse em estado de coma, aí a coisa seria mais séria, mas como ela está acordando de vez em quando e fazendo o mínimo necessário, não há necessidade de cuidados específicos. Nós já procuramos um psiquiatra, mas não há nenhum precedente para esse tipo de sintoma. Ele mesmo nos orientou a deixá-la dormir à vontade, pois se ela mesma disse que iria "dormir por um tempo" e, realmente, assim o fez, quer dizer que sua mente está de fato precisando descansar. Mesmo que fosse necessário fazer um tratamento, só seria possível quando ela acordasse para poder conversar com o médico. E é por isso que estamos deixando ela dormir.

— Não vão fazer nenhum tipo de exame mais detalhado no hospital?

— Meus pais tentam, na medida do possível, pensar no lado bom das coisas. Eles acham que se deixarem minha irmã dormir à vontade, algum dia, como que do nada, ela vai acordar e tudo voltará a ser como antes. Eles se agarram a essa possibilidade. Mas eu não aguento vê-la assim. Como posso explicar... Às vezes, sinto que não vou suportar mais ficar morando na mesma casa, debaixo do mesmo teto, com uma irmã que dorme há dois meses seguidos, sem ao menos saber o que está acontecendo.

— Então é por isso que você sai de casa e passa a noite fora, andando pela cidade, não é?

— É que não consigo dormir direito — explica Mari. — Quando tento, fico pensando em minha irmã que dorme no quarto ao lado. E, quando essa imagem se torna forte demais, não consigo mais ficar dentro de casa.

— Isso há dois meses... É muito tempo, não?

Mari concorda, sem dizer nada.

Koorogui comenta:

— Realmente, não dá para dizer o que está acontecendo com sua irmã. Mas será que ela, por acaso, não estaria com um problema enorme? Daqueles que ela própria nunca conseguiria resolver sozinha? E é por isso que ela resolveu literalmente dormir? Vai ver que o que ela realmente quer, acima de tudo, é ficar longe deste mundo de carne e osso. Sabe que até entendo esse sentimento dela? Acho que consigo imaginar o que deve estar sentindo.

— Koorogui, você tem irmãos?

— Tenho. Dois irmãos mais novos.

— Vocês são amigos?

— Antigamente, sim — responde Koorogui. — Hoje em dia, não sei. Faz muito tempo que não os vejo.

— No meu caso, pra falar a verdade, não sei nada de minha irmã — confessa Mari. — Não sei o que ela faz todos os dias, o que ela pensa ou com que tipo de pessoa se relaciona. Não sei dizer nem se ela tinha ou não alguma coisa que a entristecia. Pode até parecer frieza da minha parte, mas, mesmo morando na mesma casa, minha irmã sempre estava ocupada com as coisas dela e eu, com as minhas. Apesar de irmãs, nunca tivemos tempo de conversar abertamente e com calma, só entre nós. Não era uma questão de não nos darmos bem. Depois que crescemos nunca brigamos, nem uma vez sequer. Acho que é porque vivemos vidas diferentes durante muito tempo...

Mari fita a tela da TV desligada.

Koorogui comenta:

— Como é sua irmã? Se você não a conhece por dentro, me fale de como ela é por fora, conte-me o que sabe dela, mesmo que superficialmente.

— Ela é universitária. Frequenta uma faculdade particular de meninas ricas, de linha missionária. Tem 21 anos. A princípio, está se especializando em sociologia, mas tenho minhas dúvidas se ela realmente tem interesse nisso. Ela só estuda para manter as aparências e sempre dá um jeito de passar nas provas. De vez em quando, ela me dá uns trocadinhos para eu fazer seus trabalhos escolares. Fora isso, ela é modelo de revista e, às vezes, aparece em programas de televisão.

— Na televisão? Que tipo de programa?

— Nada muito especial. Ela ficava sorrindo e mostrava algum produto num desses programas de adivinhação. Quando o programa saiu do ar, ela também não trabalhou mais na TV, a não ser em alguns comerciais curtinhos. Também fez trabalhos para empresas de mudança, coisas assim...

— Ela deve ser muito bonita, não é?

— Todos dizem que sim. Ela não se parece nem um pouco comigo.

— Se eu pudesse, nem que fosse uma única vez, gostaria muito de nascer bonita! — exclama Koorogui, soltando um breve suspiro.

Mari fica um pouco confusa, mas acaba desabafando.

— É uma conversa um pouco estranha... Mas, dormindo, minha irmã é realmente muito bela. Muito mais bonita do que quando está acordada. Até parece que fica transparente. Eu, que sou sua irmã, chego a ficar assustada em ver tamanha beleza.

— É como a Bela Adormecida?

— É.

— E ela irá despertar com um beijo! — completa Koorogui.

— Se tudo der certo — comenta Mari.

As duas ficam um tempo em silêncio. Koorogui continua apertando os botões do controle remoto. Ouvimos a sirene de uma ambulância passando distante dali.

— Mari, você acredita em reencarnação ou coisas desse tipo?

Mari balança a cabeça, negativamente.

— Acho que não.

— Então você não acredita em vidas futuras?

— Nunca parei para pensar seriamente nisso. Mas minha impressão é de que não há razão para acreditar na existência de vidas futuras.

— Quer dizer que pra você, após a morte, não existe mais nada?

— Basicamente, acho que sim — responde Mari.

— Pois eu já acho que deve existir essa coisa de reencarnação. O que eu quero dizer é que teria muito medo se, por um acaso, isso não existisse. Já que não entendo o que significa esse tal de "nada". Não só não entendo, como também não consigo sequer imaginar o que seja.

— Se o nada significa que não existe absolutamente nada, acho que não é preciso entender ou imaginar o que ele seja, não é?

— Mas vamos supor então que, por um acaso, exista um tipo de nada que realmente exija de nós um entendimento ou uma imaginação. E aí, o que você faria? Você mesma nunca morreu, não é mesmo? Isso só seria possível se morrêssemos de verdade, não é mesmo?

— Quanto a isso, você tem razão...

— Quando a gente começa a pensar nessas coisas, dá muito medo — desabafa Koorogui. — Só de pensar nisso, sinto dificuldades de respirar e meu corpo fica paralisado. Se for para me sentir assim, ainda acho mais cômodo acreditar na reencarnação. Mesmo que você nasça numa vida horrível, pelo menos você pode ter uma ideia concreta do que possa vir a ser, não é mesmo? Por exemplo, você pode se imaginar como um cavalo, um caracol... e, mesmo que a nova vida não seja legal, você pelo menos tem chances de ter mais sorte da próxima vez.

— Assim mesmo, ainda acho mais natural pensar que, após a morte, não existe mais nada — retruca Mari.

— Você diz isso, Mari, porque deve ser uma pessoa de personalidade forte, não é?

— Eu?

Koorogui continua:

— Você passa a impressão de que é uma pessoa que sabe defender com firmeza as suas opiniões.

Mari discorda, balançando a cabeça.

— Nada disso. Não sou tão segura assim. Quando eu era pequena, era tão insegura e medrosa que sempre implicavam comigo na escola. Eu logo virava alvo de zombarias. Até hoje ainda carrego dentro de mim o que sentia naquela época. Vira e mexe sonho com isso.

— Mas você veio se esforçando para superar isso pouco a pouco, não foi? As lembranças ruins daquela época...

— Aos poucos — concorda Mari —, aos poucos mesmo. Sou desse jeito. Apenas uma pessoa esforçada.

— Aquela que vai sozinha fazendo as coisas. Como um ferreiro da floresta.

— Isso mesmo.

— Mas quer saber? Eu admiro quem consegue fazer isso.

— Ser esforçada?

— *Conseguir* se esforçar.

— Mesmo que isso não tenha nada de positivo?

Koorogui sorri, sem dizer nada.

Mari pensa sobre o que Koorogui lhe disse. E depois prossegue.

— Eu concordo com você que, durante todo esse tempo, vim construindo pouco a pouco um mundo que eu possa dizer que é meu. Quando estou sozinha dentro dele, sinto-me um pouco melhor. Mas o fato de eu ter de construir esse mundo para mim não seria a prova de que sou uma pessoa vulnerável e que facilmente se machuca? Esse mundo que construí, aos olhos dos outros, é pequeno e insignificante. É como uma casa de papelão, que ao primeiro vento mais forte é jogada para longe...

— Você tem namorado? — pergunta Koorogui.

Mari movimenta discretamente a cabeça, em negação.

Koorogui continua.

— Você por acaso ainda é virgem?

Mari enrubesce e responde bem baixinho:

— Sou.

— Não fique assim. Isso não é motivo para se envergonhar...

— Tem razão.

— Você ainda não encontrou alguém de quem goste? — pergunta Koorogui.

— Eu já tive uma pessoa com quem saía, mas...

— Vocês chegavam até um ponto, mas como você não gostava dele o suficiente, não foram até o fim, não é isso?

— Ahã — confirma Mari. — É lógico que eu tinha curiosidade, mas não a ponto de sentir vontade de fazer isso... Não sei explicar direito.

— Não é preciso explicar nada. Se você não tinha vontade, não precisava forçar a barra. Pra falar a verdade, eu já fiz sexo com muitos homens, mas, se eu parar para pensar, posso dizer que só fiz isso porque no fundo tinha muito medo. Se eu não estivesse nos braços de alguém, eu sentia muito medo e, quando alguém me queria, eu não tinha coragem de dizer não. É só por isso. Fazer sexo desse jeito não traz nada de bom. O significado de estar viva ia se desgastando lentamente. Você entende o que digo?

— Acho que sim.

— É por isso que acho que você, Mari, quando encontrar uma pessoa realmente boa, se tornará ainda mais autoconfiante, mais do que hoje. Não deve fazer as coisas pela metade. Neste mundo há coisas que você deve fazer sozinha, mas também há outras que só podem ser feitas a dois. O importante é fazer com que essas duas coisas trabalhem em conjunto.

Mari concorda.

Koorogui coça a orelha com o dedo mindinho.

— No meu caso, infelizmente, não dá mais.

— Koorogui... — diz Mari com uma voz séria.

— Hum?

— Espero que você consiga se livrar deles.

— Sabe que, às vezes, sinto que estou competindo com minha própria sombra? — desabafa Koorogui. —

Por mais que eu corra, não há como escapar dela. Afinal, não podemos nos livrar de nossa própria sombra, né?

— Mas pode ser que não seja bem isso — diz Mari, após breve hesitação. — Pode ser que essa sombra não seja sua, mas a de outra coisa totalmente diferente, não acha?

Koorogui fica pensativa durante algum tempo e, por fim, concorda.

— Tem razão. Preciso me animar e superar isso.

Koorogui olha o relógio de pulso, estica os braços e se levanta.

— Bem, é hora de voltar ao trabalho. Fique aqui e descanse um pouco. Quando amanhecer, volte para casa, ok?

— Ok.

— Vai dar tudo certo com sua irmã. Sinto isso. É um pressentimento.

— Obrigada — diz Mari.

— Sabe, Mari, sei que hoje você e sua irmã não se dão bem, mas acho que vocês já tiveram algum momento em suas vidas em que não eram assim. Tente se lembrar de um momento em que vocês ainda eram amigas e em que seus sentimentos eram perfeitamente sincronizados. Assim, de repente, talvez seja difícil se lembrar, mas, se você se esforçar, com certeza irá rememorar uma coisa desse tipo. Família é algo com que temos uma longa convivência, você há de encontrar pelo menos uma dessas lembranças.

— Está bem — responde Mari.

— Eu sempre me lembro do passado. Principalmente depois de começar a fugir por todo esse Japão. E não é que, quando eu tentava me lembrar das coisas, inúmeras lembranças começavam a voltar claramente em minha memória? Coisas que havia muito tempo eu já tinha esquecido e, num certo dia, puft!, eu lembrava. Isso é muito divertido; a memória é realmente muito estranha, enche as gavetas com coisas sem importância e até indesejáveis. Mas os fatos realmente importantes e necessários ela vai esquecendo um após o outro, não é mesmo?

Koorogui está em pé segurando o controle remoto da TV. E continua:

— Fico pensando... Será que as lembranças não seriam o combustível de que os homens precisam para viver? Se essas lembranças são ou não realmente importantes para a manutenção da vida, não vem ao caso. Elas podem ser apenas um combustível. Seja uma propaganda de jornal, um livro filosófico, uma foto pornográfica ou um maço de notas de dez mil ienes, tudo isso não passa de papel na hora de queimar, não é mesmo? O fogo não queima tudo questionando "Nossa! Isto é Kant" ou "Isto é a edição vespertina do *Yomiuri*" ou "Puxa! Que peitos!", concorda? Para o fogo, tudo não passa de papel. É a mesma coisa com a memória. As lembranças importantes, as mais ou menos importantes, ou até as que não têm importância nenhuma, tudo, indiscriminadamente, é apenas matéria de combustão.

Koorogui balança a cabeça concordando consigo mesma e continua:

— É por isso que, se eu não tivesse esse tipo de combustível em mim, se eu não tivesse essa gaveta de lembranças dentro de mim, eu já teria morrido há muito tempo. Eu estaria em algum lugar horrível, abraçando meus joelhos, morta e abandonada na estrada. Na medida em que posso usar, de acordo com as minhas necessidades, as inúmeras lembranças que tenho, sejam elas importantes ou não, é que consigo me manter viva, mesmo sendo essa vida de pesadelos. Mesmo que eu pense que não dá mais, que não posso mais continuar, consigo de alguma maneira superar isso.

Mari continua sentada na cadeira e ergue a cabeça para fitar Koorogui.

— É por isso que você também deve se esforçar. Pense bem e tente se lembrar. Lembre-se de coisas sobre sua irmã. Isso, com certeza, será um combustível importante para você. Tanto para você quanto, certamente, para sua irmã.

Mari, sem dizer nada, continua a observar Koorogui.

Koorogui olha novamente para o relógio de pulso.

— Preciso ir!

— Obrigada por tudo — diz Mari.

Koorogui faz um aceno e sai.

Mari fica sozinha, olha novamente o interior do quarto. É um quarto pequeno de um motel. Sem janelas. E, mesmo abrindo as venezianas, atrás delas só existe uma cavidade na parede. A cama, por ser grande, é desproporcional ao tamanho do aposento. Na cabeceira há tantos botões de funções desconhecidas que parece a cabine de comando de um avião. Dentro da máquina automática vemos vibradores de formatos insinuantes e peças íntimas coloridas e ousadas. Tudo é estranho e novo para Mari, mas ela não chega a sentir hostilidade. Mesmo sozinha nesse quarto excêntrico, Mari se sente protegida. Ela percebe que fazia muito tempo que não se sentia assim. Afunda o corpo na poltrona e fecha os olhos. Adormece. Um sono breve, porém profundo. Era o que ela mais desejava havia muito tempo.

16

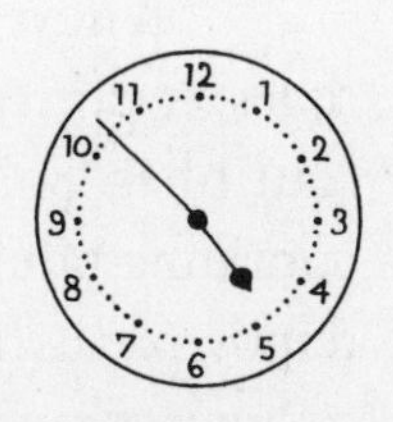

Sala do subsolo que parece um depósito. Estamos no local onde a banda se reúne para ensaiar durante a noite. Não tem janelas. O teto é alto e os encanamentos são aparentes. Nesse lugar é proibido fumar por causa da falta de ventilação. A noite está chegando ao fim e o treino sério já acabou. Agora estão fazendo improvisações de jazz. Ao todo são dez pessoas. Duas são mulheres: uma está tocando o teclado e a outra descansa com o sax soprano nas mãos. Os demais são todos homens.

Takahashi toca um solo longo com seu trombone acompanhado de piano elétrico, contrabaixo e bateria. É *Sonnymoon for Two*, de Sonny Rollins. Um blues de ritmo moderado. A performance de Takahashi não é nada má: além da técnica, ele tem um modo de desenvolver frases e variações temáticas que resultam num constante diálogo musical. É em momentos assim que se revela a personalidade do músico. Ele fecha os olhos e se entrega à música. De vez em quando, o sax tenor, o sax alto e o trompete fazem alguns *riffs*, acordes simples que se repetem formando a base ou o acompanhamento. Os que não estão tocando tomam o café trazido na garrafa térmica, checam as partituras ou limpam seus instrumentos enquanto ouvem a música. Nos breves intervalos do solo, aplaudem e dão vivas de encorajamento.

* * *

A reverberação do som é alta por causa das paredes e, por isso, o baterista está usando apenas as vassourinhas. Sobre a mesa improvisada, montada às pressas com uma tábua comprida apoiada em cadeiras tubulares, temos pizzas acomodadas em embalagens para viagem, garrafas térmicas com café e copos de papel. Há, também, partituras, um aparelho de som portátil e até palhetas de saxofone. A calefação não funciona muito bem e todos tocam sem tirar seus casacos e jaquetas. Entre os que descansam, alguns usam cachecóis enrolados no pescoço e outros estão de luvas. É uma cena um tanto estranha. Assim que Takahashi termina o seu longo solo, é a vez de o contrabaixo tocar o primeiro refrão. Por fim, os quatro músicos se juntam para o tema final.

Ao término da apresentação, eles fazem uma pausa de dez minutos. Todos estão mais quietos que de costume, provavelmente pelo cansaço após terem praticado a noite toda. Antes de tocar a próxima música, um deles estica o corpo, o outro toma alguma coisa quente, um outro come umas bolachinhas e um se retira para ir fumar lá fora. Somente a garota de cabelos compridos, que toca piano, aproveita o tempo de descanso para treinar alguns acordes. Takahashi senta-se numa das cadeiras tubulares e organiza as partituras. Depois começa a desmontar o trombone, joga no chão a saliva acumulada no bocal e passa rapidamente um pano no instrumento para, em seguida, guardá-lo no estojo. Pelo jeito, ele não vai participar da próxima música.

O cara alto que toca o contrabaixo se aproxima dele e lhe dá uns tapinhas no ombro.

— Puxa, esse solo de agorinha estava bom demais. Muito intenso... Profundo...

— Obrigado — diz Takahashi.

— E aí, Takahashi! Não vai mais tocar hoje? — pergunta o homem de cabelos compridos que toca o trompete.

— Não vai dar. Tenho um compromisso... — responde Takahashi. — Sei que pega mal, mas me desculpem por não poder ficar para a arrumação.

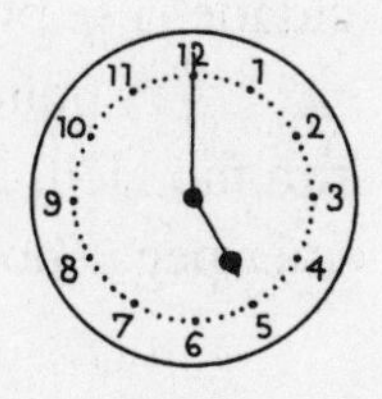

Cozinha da casa de Shirakawa. O reclame da emissora de TV NHK avisa que o noticiário das cinco está começando. O apresentador olha para a câmera frontal e, subserviente, lê as notícias. Shirakawa está sentado na mesa da cozinha e o volume da TV está baixo; no limite entre o audível e o inaudível. A gravata foi pendurada no encosto da cadeira ao lado e as mangas da camisa estão dobradas até a altura do cotovelo. O pote de iogurte está vazio. Ele não tem nenhum interesse no noticiário. Nenhuma notícia lhe chama a atenção. Ele já sabe disso, desde o início. O problema é que não consegue dormir.

Ele abre e fecha a mão direita várias vezes, com o braço apoiado sobre a mesa. O que sente não é apenas dor física, mas uma dor amalgamada a uma lembrança. Tira da geladeira uma garrafa de Perrier de rótulo verde e a encosta sobre o dorso da mão para esfriar o local. Depois gira a tampa da garrafa, verte a água no copo de vidro e bebe. Tira os óculos e começa a fazer massagem ao redor dos olhos, cuidadosamente. Em vão; nada de sentir sonolência. Nota-se o cansaço de seu corpo, mas algo em sua mente não o deixa dormir. Alguma coisa o incomoda. Ele não consegue se desvencilhar disso. Então Shirakawa desiste, recoloca os óculos e olha para a tela da TV. Problemas de dumping nas exportações de aço. Estratégias políticas para ajustar a alta do iene que disparou. Uma mãe que se suicidou levando consigo seus dois filhos: ela jogou gasolina dentro do carro e ateou fogo. A imagem do carro completamente queimado. Ainda há alguma fumaça. A cidade já se prepara para a guerra comercial natalina.

A noite está terminando, mas, para ele, não é assim tão fácil. Daqui a pouco sua família deve acordar. Ele quer pegar no sono antes de isso acontecer.

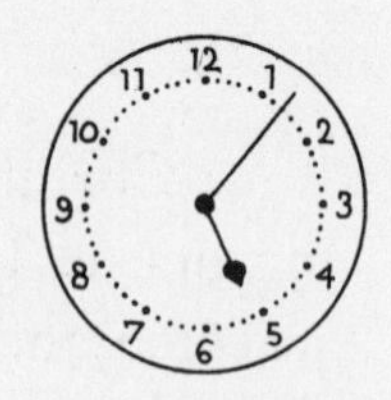

Um dos quartos do hotel Alphaville. Mari tira uma soneca com o corpo recostado na poltrona individual. Sobre a mesa baixa de vidro vemos seus pés com meias brancas. Seu rosto está sereno enquanto dorme. Sobre a mesa temos também um livro grosso que foi lido até o meio. Apesar de a luz do teto estar acesa, a claridade não incomoda seu sono. A TV está desligada e o silêncio é resguardado. A cama está devidamente arrumada. Não se ouve nenhum outro som, a não ser o ruído monótono do ar-condicionado.

Quarto de Eri Asai.

Sem se dar conta, Eri Asai voltou para *o lado de cá*. Ela está na cama, em seu quarto, dormindo. Dorme com o rosto voltado para o teto e totalmente imóvel. Não se ouve nem sua respiração. É a mesma cena que vimos quando estivemos aqui pela primeira vez: silêncio pesado e um sono assustadoramente profundo. Uma superfície aquosa do pensamento, semelhante a um espelho, sem ondulações. Ela flutua nessa superfície, deitada de costas. No quarto não há indícios de desordem. A TV está desligada e fria, tão morta como o lado escuro da lua. Será que conseguiu escapar ilesa daquele quarto misterioso? Será que alguma porta se abriu para ela?

Ninguém responde nossas perguntas. Essas dúvidas sem resposta serão tragadas pela última escuridão da noite e pelo impassível silêncio. A única coisa da qual temos certeza é que Eri Asai retornou para este quarto e está na cama. Até onde podemos observar, ela retornou para este lado em segurança, sem perder seus contornos. Possivelmente, no último instante, conseguiu escapar pela porta. Ou, quem sabe, pôde encontrar outra saída.

Seja como for, a sequência de acontecimentos misteriosos ocorridos durante a noite neste quarto já terminou. Completou-se o ciclo, sem deixar vestígios de anormalidade. As perplexidades foram encobertas e tudo voltou a ser o que era antes. À nossa volta, causa e efeito se dão as mãos, síntese e divisão se equilibram. No final das contas, tudo isso aconteceu numa fenda bem profunda à qual não temos acesso. Entre a meia-noite e o momento em que o céu começa a clarear, lugares como essa fenda abrem sorrateiramente os portões da escuridão. São regiões onde nossos princípios não valem nada. Ninguém poderá prever quando e como alguém será tragado por esse abismo nem quando e como será cuspido de volta.

Neste momento Eri dorme graciosa e serenamente em sua cama. Seus cabelos negros sobre o travesseiro abrem-se num leque elegante, ampliando o sentido das palavras não ditas. Temos um pressentimento de que o amanhecer se aproxima. O período mais escuro e profundo da noite já se foi.

Mas será que se foi mesmo?

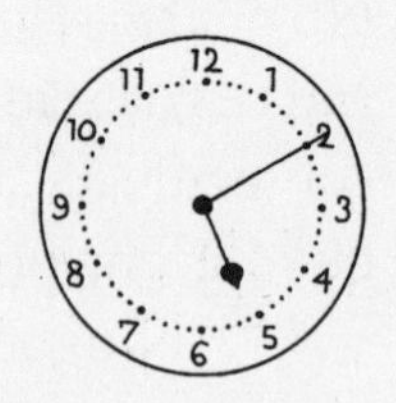

Interior do 7-Eleven. Takahashi carrega no ombro o estojo do trombone e escolhe cuidadosamente os alimentos. Pretende comê-los assim que acordar, depois de voltar para o apartamento e dormir. Não há nenhum outro cliente na loja. A música que está tocando nos alto-falantes do teto é *Bomb Juice*, de Shikao Suga. Ele pega um sanduíche de atum e verduras acondicionado numa embalagem plástica e depois escolhe uma caixinha de leite e começa a comparar seu prazo de validade com o das demais caixas. O leite é um alimento que tem um significado importante em sua vida. Ele presta atenção em cada detalhe do produto.

Nesse momento, começa a tocar o celular que foi colocado na prateleira dos queijos. É o telefone que Shirakawa deixou momentos antes. Takahashi franze a testa e observa o celular com ar de estranhamento. "Quem teria esquecido o celular num lugar desses?" Ele olha para o caixa, mas o funcionário não está lá. O telefone continua a tocar insistentemente. Com certa relutância, ele pega o celular pequeno e prateado e atende.

— Alô? — diz Takahashi.

— Você não vai escapar — uma voz de homem começa a falar do outro lado. — Você não vai escapar. Por mais que tente fugir, nós vamos te pegar.

A voz é insípida como a de alguém que lê um texto impresso. Seu modo de falar não transmite nenhuma emotividade. Logicamente, Takahashi não está entendendo o que o outro está tentando dizer.

— Ei, peraí! Como é que é? — Takahashi fala mais alto que da vez que atendeu.

No entanto, suas palavras são ignoradas pelo outro. O homem que telefonou continua a falar com uma voz sem entoação. É como se estivesse deixando um recado na caixa de mensagem.

— Nós ainda vamos dar umas batidinhas no seu ombro. Já sabemos quem você é.

— Ei! Como é que é?...

O homem continua:

— Se um dia, em algum lugar, alguém bater no seu ombro, fique sabendo que somos nós.

Sem saber o que dizer, Takahashi fica quieto. O telefone, que passou muito tempo no refrigerador, o faz sentir um frio incômodo na palma da mão.

— Você pode até esquecer. Nós, não.

— Não tô entendendo nada, só sei que não sou esse cara. É um engano... — tenta explicar Takahashi.

— Você não vai escapar.

O telefone é abruptamente desligado. Morre a conexão telefônica. A última mensagem é deixada na beira da praia inabitada. Takahashi continua olhando o celular em sua mão. Ele não tem a mínima ideia de quem são o "nós" que o homem insiste em dizer e tampouco tem ideia de quem seja a pessoa com quem eles realmente querem falar. Mas a voz desse homem persiste em seu ouvido (aquele ouvido que tem o pavilhão auricular deformado) como uma reminiscência desagradável, uma maldição irracional. Sente em sua mão uma sensação fria e escorregadia de quem acabou de pegar uma cobra.

Takahashi imagina que, por algum motivo, alguém está sendo perseguido por muitas pessoas. Do jeito que o homem foi categórico ao telefone, certamente essa pessoa não terá escapatória. Um dia, em algum lugar, quando ele menos esperar, alguém irá bater-lhe no ombro. E o que vai acontecer depois?

Seja como for, Takahashi tenta se convencer de que não tem nada a ver com isso. São ações violentas e sangrentas que ocorrem secretamente do outro lado da cidade. É outro mundo, outro circuito. "Sou apenas um forasteiro", pensa Takahashi. "Apenas, gentilmente, atendi o celular que tocava na prateleira da loja de conveniência. Alguém podia ter esquecido o celular e estar ligando para verificar onde o esquecera."

Takahashi fecha o celular e o devolve ao mesmo lugar em que o encontrou: ao lado da embalagem de queijo Camembert cortado em fatias triangulares. "É melhor ficar longe desse celular. O melhor mesmo é me afastar dele o mais rápido possível. Ficar o mais longe possível desta linha telefônica." Ele se dirige rapidamente para a caixa registradora, pega um punhado de moedas do bolso e paga o sanduíche e o leite.

Takahashi está sozinho, sentado no banco da praça. É aquele mesmo parque pequeno, dos gatos. Não há mais ninguém, a não ser ele. Dois balanços, um ao lado do outro, e folhas que cobrem o chão. A lua, no céu. Ele tira do bolso o celular e disca um número.

Quarto em que Mari está no hotel Alphaville. Toca o telefone. Ela acorda entre o quarto e o quinto toque. Franze a testa e olha o relógio de pulso. Levanta-se da poltrona e atende ao telefone.

— Alô? — responde Mari com uma certa indefinição na voz.

— Alô, sou eu. Estava dormindo?

— Um pouco — responde Mari. Ela tampa o bocal do telefone e tosse para limpar a garganta. — Tudo bem, eu apenas cochilava na poltrona.

— Vamos tomar o café da manhã? Naquele lugar que eu disse que tinha uma omelete deliciosa? Acho que tem outras coisas gostosas também...

— O ensaio já acabou? — pergunta Mari. Percebe que sua voz estranhamente não parece ser a mesma de sempre. "Sou eu mesma, e não sou."

— Acabou. Eu estou morrendo de fome. E você?

— Pra falar a verdade, não estou com muita fome. Acho que prefiro voltar para casa.

— Tudo bem. De qualquer forma, vou te acompanhar até a estação. Já deve estar saindo o primeiro trem.

— Posso ir sozinha daqui até a estação — responde Mari.

— É que eu queria falar mais um pouquinho com você — explica Takahashi. — Vamos conversando até a estação. Se não for um incômodo, é claro.

— Não é nenhum incômodo.

— Daqui a dez minutos passo aí para te pegar. Tudo bem?

— Ok — responde Mari.

Takahashi desliga o telefone, fecha-o e o guarda no bolso. Levanta-se do banco e estica o corpo. Olha para o céu. Ainda está escuro. Lá está a mesma lua crescente. Ao olhá-la assim, de um canto da cidade, próximo ao alvorecer, chega até a ser estranho ver esse objeto grande flutuando no céu, gratuitamente.

— Você não vai escapar! — diz Takahashi em voz alta, olhando para a lua crescente.

Essas palavras misteriosas ecoam nele como uma metáfora. "*Você não vai escapar.* Você pode até esquecer. Nós, não." Foi o que disse o homem ao telefone. Enquanto pensava no significado dessas palavras, ele se deu conta de que a mensagem não era para outra pessoa, mas para ele, diretamente para ele. Quem sabe se isso foi ou não por acaso. Quem sabe o celular estava sobre a prateleira da loja de conveniência em silêncio, escondido, aguardando apenas Takahashi passar por ele? Takahashi se lembra do "*Nós*"; "A quem ele se refere quando diz *nós*?" E "afinal, o que eles não esquecerão?".

Takahashi carrega o estojo do instrumento e a mochila nos ombros e, sem pressa, caminha em direção ao Alphaville. Enquanto caminha, passa a mão na barba que desponta no rosto. A última escuridão da noite envolve a cidade como uma película fina. Os caminhões de lixo começam a circular pelas ruas. Pessoas que passaram a noite em vários pontos da cidade começam a se dirigir para a estação praticamente cruzando o caminho desses caminhões. São como cardumes de peixes que nadam contra a maré. Todos têm como objetivo pegar o primeiro trem. São pessoas que finalmente terminaram o serviço noturno, jovens que passaram a noite em claro se divertindo e estão cansados — independentemente de suas posições e habilitações, todos estão taciturnos. Mesmo o casal de jovens que se aconchega em frente à máquina automática de bebidas não tem nada a dizer. Os dois apenas dividem silenciosamente um pouco do calor que lhes resta no corpo.

Um novo dia está bem próximo, mas o dia anterior ainda arrasta suas caudas pesadas. Assim como as águas do mar e do rio se enfrentam bravamente na foz, o novo e o velho tempo se chocam e se misturam. Takahashi ainda não sabe em que lado do mundo está o seu centro de gravidade.

17

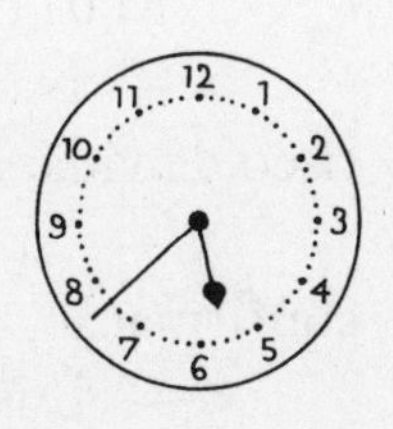

Mari e Takahashi caminham lado a lado. Mari carrega a bolsa no ombro e está com o boné do Red Sox com a pala na altura dos olhos. Não usa óculos.

— Não está com sono? — pergunta Takahashi.

Mari diz que não, balançando a cabeça para os lados.

— É que dei uma cochilada...

Takahashi comenta:

— Um dia, depois de passar a noite toda ensaiando, peguei a linha Chûô, na estação Shinjuku, para ir pra casa e então, quando acordei, estava na província de Yamanashi. Lá no meio das montanhas! Não estou querendo me gabar, mas sou do tipo de cara que cai no sono rapidinho, em qualquer lugar.

Mari está quieta. Parece pensar em algo. Takahashi quebra o silêncio.

— Sabe aquela conversa que tivemos? Aquela sobre Eri Asai? É claro que você não precisa falar sobre ela, mas posso te perguntar uma coisa?

— Pode.

— A sua irmã está dormindo há muito tempo. Não quer despertar. Se não me engano, foi isso que você me disse. Estou certo?

— Está.

— Não sei direito o que está acontecendo, mas você quer dizer que ela está numa espécie de estado de coma? Ela perdeu a consciência?

Mari titubeia um pouco antes de responder.

— Não é nada disso. Por enquanto ela não corre risco de vida, acho eu. Ela apenas... está dormindo.

— Apenas está dormindo? — Takahashi pede confirmação.

— É isso. Apenas... — Mari para e solta um suspiro. — Me desculpe, mas acho que ainda não estou preparada pra falar nisso.

— Tudo bem. Se não está preparada para falar, não precisa.

— Acho que, por estar cansada, não consigo organizar meus pensamentos. Além do mais, quando escuto minha voz, ela nem parece que é minha.

— Vamos deixar esse assunto para *outro dia*. Outra hora. Deixemos esse assunto de lado.

— Tudo bem — Mari concorda, aliviada.

Os dois continuam a caminhar em silêncio em direção à estação. Takahashi assovia baixinho.

— A que horas o céu costuma clarear? Você sabe? — pergunta Mari.

Takahashi observa o relógio de pulso.

— Nesta estação do ano... Deixe-me ver... Acho que lá pelas seis e quarenta. Nesta época, a noite é mais longa. Ainda ficará escuro por algum tempo...

— A escuridão deixa a gente muito cansada, não acha?

— É que, na verdade, o certo seria todos estarem dormindo — diz Takahashi. — Historicamente falando, é muito recente isso de os homens começarem a sair tranquilamente após o anoitecer. Antigamente, quando escurecia, todos se escondiam nas cavernas para se proteger. Nosso relógio interno ainda está programado para dormir quando o dia termina.

— Tenho a impressão de que já se passou muito tempo desde o momento em que percebi, ontem à tarde, que começava a escurecer.

— Você tem razão, já se passou muito tempo, mesmo.

Um caminhão grande está estacionado em frente à drogaria e o motorista faz a entrega das mercadorias através da porta semiaberta do estabelecimento. Os dois passam em frente ao estabelecimento.

— Será que poderemos nos encontrar novamente, em breve? — pergunta Takahashi.

— Por quê?

— Por quê? — Takahashi fica desconcertado. — Porque quero te ver e conversar com você... De preferência, num horário melhor.

— Isso seria... um encontro?

— Acho que pode ser chamado assim.

— Mas que tipo de assunto você quer conversar nesse tal encontro?

Takahashi pensa um pouco.

— Você está querendo saber os assuntos que temos em comum?

— Tirando a Eri, é claro.

— Bem, deixe-me ver... Assuntos em comum, né? Puxa. Perguntando assim, de repente... Humm... Agora, agora, não consigo me lembrar de nada concreto. Pelo menos não aqui. Mas, quando estivermos juntos, tenho a impressão de que assuntos é que não faltarão.

— Acho que conversar comigo não tem nenhuma graça, sabia?

— Alguém já te disse isso antes? Que não tinha graça conversar com você?

Mari nega, balançando a cabeça.

— Não. Nunca me disseram nada.

— Então você não precisa se preocupar com isso!

— Se bem que já me disseram que tenho uma personalidade sombria — desabafa Mari.

Takahashi muda o estojo de instrumento do ombro direito para o esquerdo e diz:

— Sabe, a nossa vida não se divide simplesmente em claro e escuro. Entre essas duas coisas existe uma zona intermediária chamada sombra. Reconhecer e compreender as diversas tonalidades que compõem essa sombra é o que faz uma inteligência saudável. E para adquirir essa inteligência saudável é necessário tempo e esforço. Eu não acho que você seja uma pessoa com personalidade sombria.

Mari pensa sobre o que Takahashi acaba de lhe dizer.

— Mas sou covarde.

— Não mesmo. Uma menina covarde jamais sairia sozinha pela cidade, ainda por cima à noite. Você veio até aqui em busca de algo, não é mesmo?

— *Aqui*? — pergunta Mari.

— Isso mesmo. Um lugar diferente do que está acostumada; um lugar distante de seu território.

— E será que eu encontrei algo? Aqui?

Takahashi sorri e a fita.

— Quero me encontrar de novo com você. Pelo menos é o que desejo.

Mari se volta para Takahashi. Os olhares se encontram.

— Isso talvez seja difícil — responde Mari.

— Difícil?

— Sim.

— Você quer dizer que não vamos nos encontrar de novo?

— Na prática... — responde Mari.

— Você já tem alguém?

— No momento, não.

— Ah, então você não gostou de mim?

Mari balança a cabeça negativamente.

— Não é nada disso. É que na próxima segunda eu não estarei mais no Japão. Estou indo como bolsista de intercâmbio para a Universidade de Pequim e pretendo ficar lá até junho do ano que vem.

— É mesmo? — Takahashi demonstra admiração. — Você é realmente uma aluna inteligente.

— Me candidatei *apenas para ver* no que daria e fui escolhida. Eu achava que não seria selecionada porque ainda estava no primeiro ano, mas parece que esse programa é um pouco diferente...

— Mas que ótimo! Parabéns!

— Como tenho apenas alguns dias até a partida, creio que estarei ocupada fazendo as malas...

— Com certeza.

— Com certeza, o quê?

— Você tem que fazer as malas para viajar e estará ocupada com isso e aquilo e é lógico que não terá tempo para se encontrar comigo. Com certeza — diz Takahashi. — Eu entendo. Está tudo bem, não faz mal. Posso esperar...

— Mas só vou voltar daqui a mais de seis meses!

— Eu sou um cara muito paciente. Além do mais, sei muito bem como matar o tempo. Você não poderia me dar seu endereço de lá? Quero te escrever cartas.

— Claro que sim.

— Se eu te mandar cartas, você me responde?

— Respondo — confirma Mari.

— E quando você retornar ao Japão no verão do ano que vem, topa sairmos juntos? Podemos ir ao zoológico, ao jardim botânico ou, quem sabe, ao aquário. Depois vamos comer uma deliciosa omelete que, na medida do possível, seja politicamente correta.

Mari se volta novamente para Takahashi. Olha em seus olhos como que para se certificar de algo.

— Por que você está interessado em mim?

— Por que será, hein? No momento, não sei como explicar. Mas quem sabe no futuro, quando nos encontrarmos e estivermos conversando, uma música do Francis Lai vai começar a tocar ao fundo e, do nada, surgirão todos os motivos concretos do meu interesse por você. Pode ser que nesse dia caia neve, para dar aquela forcinha...

Ao chegarem à estação, Mari tira do bolso uma agenda pequena e vermelha, anota o endereço de Pequim, rasga a página e a entrega a Takahashi. Ele dobra a folha em duas partes e a guarda dentro da carteira.

— Obrigado. Vou escrever cartas bem longas, tá? — diz ele.

Mari para em frente à máquina automática de venda de bilhetes e fica pensativa. Parece estar indecisa se deve ou não falar.

— Um pouco antes, lembrei-me de uma coisa sobre Eri — diz ela, decidida a contar. — Eu tinha me esquecido disso, mas depois que você me ligou, de repente, me veio à mente quando eu estava sentada na poltrona do motel, totalmente distraída. Foi assim, de repente. Posso te falar disso agora?

— É claro.

— Quero contar para alguém, enquanto ainda consigo me lembrar — justifica-se Mari. — Se eu não fizer isso, sinto que perderei os detalhes para sempre.

Takahashi toca na orelha para indicar que irá *ouvir atentamente* o que ela tem a dizer.

Mari começa a contar:

— Quando eu estava no jardim de infância, eu e Eri ficamos presas no elevador do prédio em que morávamos. Acho que tinha acontecido um terremoto. O elevador balançou entre os andares e, de repente, parou. Na mesma hora as luzes se apagaram. Ficou escuro de verdade. Não conseguia sequer ver minhas próprias mãos. E dentro do elevador éramos só eu e Eri; somente nós duas, mais ninguém. Entrei em pânico e fiquei petrificada. É como se tivesse sido fossilizada em vida. Não conseguia mexer um dedo sequer. Nem respirar direito eu conseguia. A voz também sumiu. Eri ficava me chamando, mas eu não conseguia responder. Estava atordoada, era como se minha cabeça estivesse adormecida. A voz de Eri parecia vir de uma fenda...

Mari fecha os olhos por alguns segundos e tenta reproduzir em sua mente aquela escuridão.

— Não lembro quanto tempo ficamos na escuridão. Para mim parece ter sido uma eternidade, mas na verdade não deve ter sido tanto tempo assim. Mas, mesmo que tenha sido cinco ou vinte minutos, o tempo real não vem ao caso. Só sei que, durante todo esse tempo, Eri ficou abraçada comigo no meio da escuridão. Não era apenas um simples abraço; era um abraço tão forte que parecia que nossos corpos iam se fundir em um só. Em nenhum momento ela relaxou o aperto. Era como se temesse me soltar e, com isso, nunca mais conseguíssemos nos encontrar neste mundo.

Takahashi não diz nada e, apoiando seu corpo na máquina automática de bilhetes, aguarda o que Mari tem a dizer. Ela puxa a mão direita do bolso da jaqueta e a contempla por um longo tempo. Ergue o rosto e continua:

— É lógico que Eri também devia estar com muito medo. Acho que estava tão assustada quanto eu. Devia querer gritar, chorar... Ela ainda cursava a segunda série do primário. Mas Eri manteve-se calma. Nessa hora, ela sabia que devia ser forte; que precisava ser forte por ser mais velha que eu, ser forte por mim. "Está tudo bem. Não fique com medo, tá? Estou aqui com você e logo, logo alguém vai nos salvar", ela sussurrava no pé do meu ouvido. Era uma voz firme e serena. Parecia um adulto. Não me lembro mais dos detalhes, mas sei que ela até cantou para mim. Também pensei em acompanhá-la, mas não consegui. O medo não deixava minha voz sair. Mesmo assim, Eri continuou cantando. Envolta em seus braços, senti que poderia confiar totalmente nela. Nessa escuridão nós nos unimos num único ser e não havia mais nenhuma brecha entre nós. Até mesmo as batidas de nossos corações se sincronizaram. E, então, de repente, a luz voltou, o elevador deu uma chacoalhada e voltou a funcionar...

Mari faz uma breve interrupção. Está procurando palavras em meio às lembranças.

— Essa foi a última vez. Como posso dizer; foi a última vez em que eu e Eri estivemos tão próximas. O último instante em que nos unimos num só coração, sem nada que pudesse nos separar. Depois disso, fomos nos distanciando cada vez mais. Separadas, cada uma passou a viver em seu próprio mundo. Aquele sentimento de união, de sermos um só corpo, que tivemos na escuridão do elevador, aquele sentimento de um forte vínculo entre nós nunca mais aconteceu de novo. Não sei onde foi que erramos. Mas, depois disso, nunca mais voltamos a ser as mesmas.

Takahashi estica o braço e alcança a mão de Mari. Ela se assusta com o gesto, mas não a tira. Takahashi continua a segurar carinhosamente sua mão. Uma mão pequena e delicada.

— Na verdade, eu não queria ir... — diz Mari.

— Para a China?

— É.

— Por quê?

— Porque estou com medo.

— É normal você sentir medo. Você está indo sozinha para um lugar distante e desconhecido, não é mesmo? — diz Takahashi.

— É.

— Mas, como é você, vai dar tudo certo. Vai se sair bem. E estarei aqui, te esperando...

Mari concorda.

Takahashi complementa:

— Você é muito bonita. Sabia disso?

Mari ergue o rosto e fita Takahashi. Em seguida, solta sua mão e a coloca no bolso da jaqueta. Ela olha para os pés. Verifica se o tênis amarelo não está sujo.

— Obrigada. Mas agora vou voltar pra casa.

— Vou te mandar cartas — diz Takahashi. — Iguais às dos romances, superlongas...

— Ok — responde Mari.

Ela passa pela catraca, segue até a plataforma e desaparece num dos vagões do trem expresso. Takahashi a acompanha com o olhar até ela entrar no trem. O apito de partida soa na estação e a porta se fecha. O trem parte da plataforma. Quando o trem se distancia e não pode mais vê-la, Takahashi pega o estojo do instrumento que estava no chão, coloca-o no ombro e, assobiando baixinho, caminha em direção à plataforma da linha Japan Railway. Gradativamente, cresce o número de pessoas que circulam na estação.

18

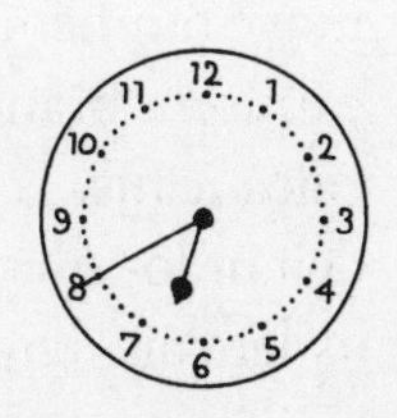

Quarto de Eri Asai.

Pela janela, a claridade aumenta gradativamente. Eri Asai dorme em sua cama. A expressão de seu rosto e a posição em que dorme continuam as mesmas de quando a vimos pela última vez. Uma espessa capa de sono a envolve.

Mari entra no quarto. Para não chamar a atenção de seus familiares, ela abriu a porta bem devagar, entrou e fechou-a, novamente, com cuidado. O silêncio e a frieza do ambiente deixam-na um pouco tensa. Ela fica em pé, parada, em frente à porta e olha, atentamente, o quarto da irmã. Antes de tudo, quer se certificar de que aquele é o aposento de Eri. Por cautela, verifica se não há nada de anormal ou algo desconhecido escondido num dos cantos. Depois, aproxima-se da cama e, ainda em pé, observa o rosto da irmã que está dormindo. Estica o braço e toca levemente o rosto, chamando-a bem baixinho pelo nome. Mas não há nenhuma reação, como sempre. Mari puxa a cadeira giratória que está em frente à mesa trazendo-a para perto da cabeceira e se senta. Inclina-se para a frente e, de perto, observa cuidadosamente o rosto da irmã como se tentasse desvendar o significado de um código secreto escondido nele.

Cerca de cinco minutos se passam. Mari se levanta, tira o boné do Red Sox, ajeita o cabelo e, em seguida, desafivela o relógio de pulso e o coloca sobre a mesa, ao lado do boné. Tira a jaqueta e o agasalho com capuz. Remove também a camisa de flanela xadrez e fica apenas de camiseta branca. Por fim, tira a meia soquete grossa e a calça jeans. E, com cuidado, entra debaixo das cobertas, deitando-se ao lado da irmã. Após ajeitar o corpo entre os lençóis, envolve com seu braço fino o corpo da irmã, que dorme com o rosto voltado para cima. Encosta delicadamente seu rosto no peito da irmã, permanecendo assim por algum tempo. Mari ouve, com atenção, as batidas do coração da irmã e tenta compreender cada batida. Enquanto escuta, seus olhos estão serenamente fechados. Deles, subitamente, brotam lágrimas. São lágrimas grossas, que fluem espontaneamente. Elas percorrem seu rosto e seguem para baixo até cair sobre o pijama da irmã, deixando-o levemente úmido. Novas gotas de lágrima percorrem seu rosto e continuam a cair.

Mari senta-se na cama e enxuga as lágrimas do rosto com a ponta dos dedos. Ela é tomada por uma emoção forte; sente que fez *algo* — algo que nem mesmo ela sabe o que exatamente é. Sente que fez algo irremediável. Sente uma comoção por demais forte, por demais intensa, jamais sentida antes. As lágrimas continuam a cair. Mari as retém na palma das mãos. As lágrimas que caem são quentes como o sangue, ainda conservam o calor do corpo. E então Mari pensa: "Eu poderia estar num lugar diferente *daqui.* E Eri também poderia estar num lugar diferente *daqui.*"

Por precaução, Mari novamente olha ao redor e, em seguida, fita mais uma vez o rosto da irmã. O rosto adormecido de Eri é lindo, realmente lindo. Tão maravilhoso que Mari tem vontade de conservá-lo dentro de uma redoma de vidro. Sua consciência não se encontra mais ali. Está toda encolhida e escondida em algum lugar. Mas essa consciência certamente deve estar fluindo em uma região que não podemos enxergar, como os veios de água que fluem nas profundezas da terra. Mari consegue ouvir o sutil eco dessa consciência. Ela escuta atentamente. "Não deve estar tão distante. Em algum lugar, esse fluxo deve estar ligado ao meu", é o que Mari está sentindo. "Afinal, somos irmãs."

Ela se curva e dá um beijo leve e rápido nos lábios de Eri. Levanta a cabeça e contempla novamente o rosto da irmã. Deixa o tempo passar dentro de seu coração. E, novamente, a beija. Desta vez é um beijo mais longo. Bem mais suave. Mari sente como se estivesse beijando a si mesma. Mari e Eri: diferença de uma sílaba. Ela sorri. Depois, deita-se ao lado da irmã e, sentindo-se aliviada, encolhe o corpo e dorme. Aproxima-se ao máximo dela, tentando transmitir-lhe o calor de seu corpo. Tenta trocar sinais vitais com a irmã.

Mari então sussurra: "Eri... Volta!", bem pertinho da orelha, e pede: "Por favor... volta." Em seguida, fecha os olhos e relaxa o corpo. Ao fechá-los, o sono a envolve como ondas grandes e serenas vindas do alto-mar. As lágrimas pararam de cair.

A claridade que vem da janela aumenta rapidamente. Feixes de luz cintilante invadem o quarto por entre os vãos da cortina rolô. A velha temporalidade perde sua força e se prepara para partir. Muitas pessoas ainda resmungam velhas palavras. No entanto, sob a luz do novo sol que acaba de nascer, as intenções dessas palavras rapidamente se alteram e se renovam. Mesmo que parte dos novos significados seja transitória e resista somente até o entardecer desse novo dia, para nós também o tempo passará e continuaremos nossa caminhada.

No canto do quarto, a tela da TV parece ter dado um breve lampejo. Parece que uma fonte luminosa quer passar pelo tubo. Temos a impressão de que *algo* está começando a se mover. Vemos uma rápida distorção de alguma imagem. Será que o circuito está tentando se conectar novamente? Prendemos a respiração e aguardamos atentamente esse período de transição. Porém, no instante seguinte não há mais nada na tela, somente o vazio.

O que *pensamos* ter visto pode ter sido apenas uma ilusão de ótica: a luz que entra pela janela pode ter sofrido algum desvio e o raio pode ter incidido sobre a tela. O quarto continua dominado pelo silêncio. No entanto, este não é mais aquele silêncio profundo e pesado de antes, mas um sensivelmente menos denso e mais discreto. Agora escutamos o canto dos pássaros. Se aguçarmos os ouvidos, podemos até ouvir bicicletas passando, pessoas conversando e — quem sabe — até a previsão meteorológica transmitida por algum rádio. E quem sabe o barulho do pão sendo tostado na torradeira. A generosa luminosidade da manhã vai lavando todos os cantos do mundo, sem cobrar nada. Duas jovens irmãs estão juntas, deitadas numa cama pequena, dormindo serenamente. Exceto nós, ninguém mais sabe disso.

Interior do 7-Eleven. O funcionário está agachado num dos corredores verificando o estoque, tendo em mãos uma lista de checagem. Ao fundo ouve-se uma música de hip-hop japonês. O funcionário é jovem. É o mesmo que estava no caixa e que atendeu Takahashi. É magro e seus cabelos são tingidos de castanho avermelhado. Ele está visivelmente cansado por ter trabalhado a noite toda e fica dando grandes bocejos a toda hora. Mesclando-se à música, um celular está tocando em algum lugar. Ele se levanta e dá uma olhada ao redor. Passa observando cada um dos corredores.

Não há nenhum cliente. Não há ninguém na loja; apenas ele. No entanto, o celular continua tocando insistentemente. Muito estranho. Após procurar em vários lugares, finalmente ele o encontra na prateleira do refrigerador de laticínios.

"Mas que coisa. Quem teria esquecido o celular num lugar desses? Só um idiota, mesmo." O rapaz estala a língua e, mesmo inconformado, pega o celular gelado e o atende.

— Alô? — diz ele.

— Você tá achando que se safou dessa, não é? — diz um homem com a voz seca.

— Alô? — grita o funcionário.

— Mas fique sabendo que você não vai escapar. Não adianta fugir que você não vai escapar. — E, após um breve e enigmático silêncio, o homem desliga.

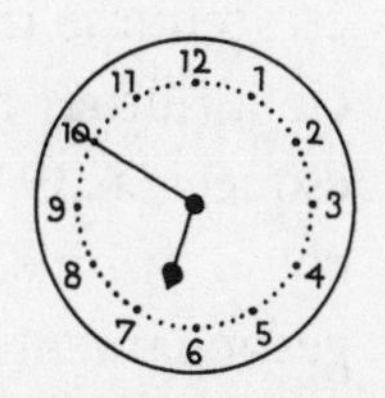

Somos um autêntico ponto de vista e do céu olhamos a cidade. Observamos a cena do despertar de uma metrópole gigante. Os trens de passageiros, pintados em várias cores, saem em diferentes direções transportando pessoas de um lugar a outro. Cada passageiro tem um rosto e uma mente diferente, mas, ao mesmo tempo, todos fazem *parte* de uma massa constituída de anônimos. Formam um conjunto e, ao mesmo tempo, são apenas peças dele. Enquanto convivem habilmente e de modo conveniente com essa dualidade que os cerca, cumprem seus rituais da manhã com extrema precisão e rapidez: escovam os dentes, fazem a barba, escolhem a gravata ou passam o batom. Assistem aos noticiários da TV, conversam com os familiares, comem e defecam.

Com o nascer do sol, corvos vêm para a cidade em bandos para buscar alimentos. Suas asas negras e oleosas brilham sob a luz do sol. Para os corvos, essa questão da dualidade não tem tanta importância. O que realmente importa para essas aves é garantir o alimento necessário para sua própria subsistência. O caminhão de lixo ainda não conseguiu recolher todos os sacos. Afinal, estamos falando de uma cidade gigantesca que gera uma quantidade exorbitante de lixo. Os corvos emitem grasnidos ásperos e vão aterrissando em todos os cantos da cidade, num mesmo mergulho de aviões bombardeiros.

O novo sol irradia uma nova luz na cidade. Os vidros dos prédios brilham, ofuscando os olhos. Não se vê nenhuma nuvem no céu. A única coisa que vemos é uma camada de poluição na linha do horizonte. A lua crescente se transformou num monólito de branco silêncio a flutuar no céu do leste, como mensagem distante e esquecida. O helicóptero da reportagem sobrevoa o céu como um inseto nervoso, transmitindo imagens do congestionamento para a emissora. Próximo aos pedágios das pistas expressas, vemos a formação de filas de carros querendo entrar na cidade. Enquanto isso, as ruas entre os edifícios ainda estão envoltas numa sombra fria. Nessas ruas ainda restam, intocadas, muitas das lembranças da noite que se foi.

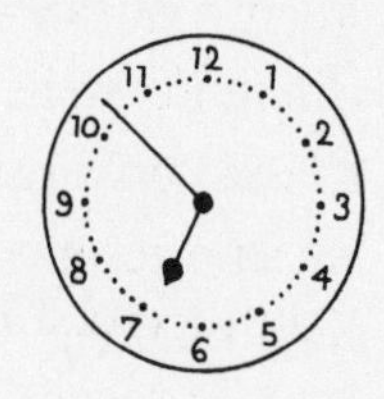

O nosso ponto de vista afasta-se do céu sobre o centro da cidade e se transfere para o céu que cobre uma área residencial tranquila. Do alto, podemos ver uma fileira de sobrados com jardim. Daqui de cima, todas as casas são iguais. A mesma renda anual, a mesma estrutura familiar. Um Volvo azul-marinho novo reflete orgulhosamente o nascer do sol. Uma rede para o treino de golfe está instalada na grama de um jardim. O jornal matutino acaba de ser entregue. Pessoas passeiam com seus cachorros grandes. Ouvimos a comida ser preparada, através da janela da cozinha. Vozes chamam umas às outras. Aqui, também, mais um novo dia está surgindo. Esse dia poderá correr sem novidades ou, ao contrário, poderá ser especial; um dia que, por vários motivos, ficará gravado na memória. Mas, independentemente de como ele seja, agora, para todos que o estão começando, ele não passa de uma folha em branco.

Entre todas essas casas parecidas entre si, escolhemos uma e descemos em sua direção. Entramos silenciosamente no quarto de Eri Asai através da janela de vidro do sobrado que tem uma cortina rolô creme.

Mari dorme na cama, ao lado da irmã. Escutamos um leve ressonar. Até onde podemos observar, é um sono tranquilo. Seu corpo deve estar mais quente e seu rosto mais rosado que da última vez que a vimos. Sua franja cobre parte dos olhos. No canto da boca esboça-se um leve sorriso. Será que ela está sonhando? Ou será que está se lembrando de algo? Mari passou por um longo período de escuridão e, após conversar com várias pessoas que conheceu durante a noite, finalmente voltou ao seu lugar. O que ela teme, pelo menos neste momento, não existe onde ela está. Ela tem 19 anos e o telhado e as paredes da casa a protegem. O gramado do jardim, o sistema de alarme, a perua recém-encerada e os cachorros grandes e robustos que caminham pelas redondezas também estão a protegê-la. Ela é envolvida e aquecida pelos raios da manhã que penetram pela janela. A mão esquerda de Mari está sobre os cabelos pretos de Eri espalhados pelo travesseiro; seus dedos estão relaxados, naturalmente entreabertos e levemente dobrados.

Quanto a Eri, não observamos nenhuma alteração em sua posição nem na expressão de seu rosto. Ela sequer percebeu que a irmã veio ao quarto, entrou por debaixo das cobertas e dorme a seu lado.

Finalmente, observamos um sutil movimento na boca pequenina de Eri, como se estivesse reagindo a algo. Um movimento rápido, instantâneo, questão de um décimo de segundo. Nós, porém, como um autêntico e aguçado ponto de vista, não podemos ignorar esse movimento. Guardamos e registramos o instante em que o corpo de Eri emitiu esse sinal. Ele pode significar um pequeno indício de que algo está para acontecer. Ou, quem sabe, pode significar um pequeno presságio de outro indício ainda menor. Mas, seja como for, alguma coisa conseguiu escapar por entre as frestas da consciência e está tentando transmitir para o lado de cá um *sinal*. Temos a forte impressão de que é isso.

Queremos acompanhar, zelosos e discretos, o lento e inevitável crescimento desse indício sob a luz do novo amanhecer. Finalmente, a noite cede o lugar ao dia. Até a próxima escuridão, ainda temos muito tempo.

1ª EDIÇÃO [2009] 12 reimpressões

ESTA OBRA FOI COMPOSTA PELA ABREU'S SYSTEM EM AGARAMOND
E IMPRESSA PELA LIS GRÁFICA EM OFSETE SOBRE PAPEL PÓLEN
DA SUZANO S.A. PARA A EDITORA SCHWARCZ EM ABRIL DE 2024